LA NUIT BLEUE
de Nadia Ghalem
est le trois cent quatre-vingt-deuxième ouvrage
publié chez
VLB ÉDITEUR.

LA NUIT BLEUE

du même auteur

EXIL, poèmes, Les Compagnons du Lion d'or, Montréal, 1980

LES JARDINS DE CRISTAL, roman, l'Arbre/HMH, Montréal, 1981

L'OISEAU DE FER, nouvelles, Éd. Naaman, Sherbrooke, 1981

LA VILLA DÉSIR, roman, Guérin Éditeur, Montréal, 1988

Nadia GHALEM

La nuit bleue

nouvelles

vlb éditeur

VLB ÉDITEUR
1000, rue Amherst
Montréal (Qué.)
H2L 3K5
Tél.: (514) 523-1182
Télécopieur: (514) 282-7530

Maquette de la couverture:
Katherine Sapon

Photo de la couverture:
Superstock

Composition et montage:
Atelier LHR

Distribution:
AGENCE DE DISTRIBUTION POPULAIRE
955, rue Amherst
Montréal (Qué.)
H2L 3K4
Tél.: à Montréal: 523.1182
de l'extérieur: 1.800.361.4806

Dépôt légal — 2e trimestre 1991
Bibliothèque nationale du Québec
ISBN 2-89005-435-7

L'étreinte

Ils ne s'étaient pas vus depuis longtemps... Elle dit: «Je t'attendais.» Il répondit, sans la toucher: «Ta chair et ma chair...» Elle le regarda longuement, l'imaginant nu au sein des draps de satin pêche, sa peau bronzée frémissant sous la caresse. Elle humecta ses lèvres en se mirant dans son regard à lui. Il tressaillit, fasciné par le mouvement de la langue sur la lèvre charnue. Il prit sa main et dit: «Il nous faut prendre le temps de savourer le désir.» Elle dit: «Il y a si longtemps... Tu as pris la forme de tous les hommes que j'ai croisés.» Il ajouta: «Ton parfum était sur toutes les peaux que j'ai froissées.»

Elle le regarda avec haine.

— Notre corps à corps sera terrible, promit-il.

Ils s'assirent à une table de restaurant. De nouveau, elle le regarda intensément, le pouce entre les lèvres, comme pour réfléchir. Elle vit ses yeux devenir plus grands, plus humides, vagues, comme s'il allait défaillir. Il lui prit la main, la serra; les jointures pâlissaient au rythme d'une imperceptible palpitation. Elle ressentit la douleur et la tiédeur. Sous la table, leurs genoux se frôlaient.

«Je deviens fous», pensa-t-il avec une expression souffrante.

Du pain beurré, des huîtres fraîches; ils avaient savouré leur repas comme une fête barbare. Elle planta ses ongles dans la paume de l'homme, ses narines frémirent; leurs imaginations fusionnaient, leurs regards s'attiraient. Ils évitaient autant que possible de se toucher, se noyant l'un dans l'autre en attendant non sans appréhension le moment où ils pourraient enfin refermer la porte de leur chambre sur les vagues de désir et d'effroi qui ne manqueraient pas de déferler sur leurs corps et leurs âmes démunis.

Dans la voiture, ils n'échangèrent pas un mot, il l'écoutait respirer légèrement à côté de lui. Elle se remémorait sa façon de croquer, à table, les grains de raisins aussi dorés que la couleur de ses yeux et sa manière de pencher la tête afin d'aller au-devant de la grappe comme un jeune fauve vers le mamelon de sa mère. Puis il avait pelé avec soin et lenteur une orange et lui en avait offert un quartier, qu'elle suça doucement avant d'y planter les dents; ils sourirent tous les deux et il se pencha vers elle pour, du bout de sa langue, recueillir les gouttes de jus sur le menton de la femme. Il saisit comme par hasard ses lèvres entre les siennes. Elle posa sa main sur sa nuque velue, il emprisonna son sein, perçut la tiédeur de la peau sous la soie de la blouse. Ils s'écartèrent d'un seul geste, comme pour s'arracher à l'étreinte qui risquait de les engloutir. Elle jeta un regard sur son profil. Son nez tel un bec d'aigle découpait la lumière. Il soupira. Ils étaient arrivés.

Il referma la porte de la chambre, prit la femme dans ses bras. Ils restèrent là, debout, une éternité, comme s'ils craignaient de voir leur désir tomber. Il soupira en grognant un peu comme un animal sauvage, puis entreprit de la déshabiller lentement; ses doigts glissaient sur la soie sensuelle de la blouse rose. Elle jeta un regard par-dessus son épaule pour s'imprégner des lueurs du soleil couchant. Le ciel était cuivré, éblouissant. Elle déboutonna la chemise de l'homme et posa ses lèvres sur le léger duvet de la poitrine, puis les petits boutons dressés des seins. Leurs vêtements glissèrent dans un chuchotement étouffé. Avant que leurs corps ne se touchent vraiment, il l'aida à s'allon-

ger sur le lit et tendit la main vers le petit sachet blanc qui se trouvait dans un verre, sur la table. Il se coucha sur la femme, mit entre ses lèvres le sachet fait de papier de riz contenant une poudre que leur avait donnée leur meilleur ami. Il murmura: «Mon corps sur ton corps pour l'éternité.» Elle répondit: «Ni territoire occupé.» Il ajouta: «Ni Afrique naufragée.»

Ils joignirent leurs lèvres autour du sachet blanc pendant que leurs corps se fondaient l'un dans l'autre.

Le lendemain on les retrouva confondus dans la même étreinte. Morts.

La nuit bleue

Dans la nuit bleue de Montréal, madame Sarrasin vit passer un avion, ses petites lumières clignotantes firent palpiter les paupières de la jeune femme qui se dit: «Tous les avions convergent vers son continent.» Là-haut, dans le ciel, un homme dans sa prison de métal jette peut-être un regard vers les ombres de la ville qui sombre dans la nuit. Puis madame Sarrasin alla se coucher en s'efforçant de ne plus penser à la déchirure qui portait un nom, un visage, qu'elle ne reverrait sans doute plus jamais.

Au petit matin, elle sortit *respirer le mois de mai*. Bon prétexte pour faire le tour du parc et remettre de l'ordre dans ses idées. Près du trottoir, elle vit deux moineaux s'accoupler. Frémissements d'ailes, deux petits corps en fusion comme au cours d'une bataille féroce, un face à face qui fait oublier les dangers du monde. Soubresauts et tremblements de plumes. La jeune femme soupira comme si elle voyait là le signe de la bonne marche de l'univers.

Elle s'assit sur un banc et éprouva le besoin de noter les mots qui lui viendraient, sans aucune censure ni retenue: «Plaine de Poitiers, plaine d'Abraham, ou comment les vaincus gagnent la bataille de la mémoire... Tu me reviens par bouffées comme un souvenir, une saveur, une odeur. Tu me reviens et tu es déjà loin. Comme une chronique de rendez-vous manqués, un chapelet de mots qui se bousculent au bord des lèvres, des images aux portes du réveil. Tu me reviens comme un visage croisé dans la foule des villes, un bateau ivre de houle qui dérive, une palpitation au cœur des notes de musique. Tu me reviens. Comme le bruissement des aurores en Afrique, la saveur des embruns méditerranéens, les murmures d'un chant érotique. Tu me reviens. Comme le cérémonial du repas des amants, le moineau dans la main d'un enfant, une querelle étouffée, un adieu refusé, une histoire prédestinée, un geste de colère, un vainqueur après la guerre. Tu me reviens. Comme un vaincu de la plaine d'Abraham ou de Poitiers, un fragment d'histoire ancienne, le galop d'une épopée. Tu me reviens et tu es loin. Loin, le regard bleu Provence. La nuit, l'ombre de tes mains que je sens sur mon visage. Jamais rien ne pourra m'éloigner de toi. Tu pars et tu reviens comme les vagues de l'océan, sans jamais t'absenter vraiment. Tu es le feu que j'essayais d'apprivoiser, j'en aspire les volutes qui m'incendient les poumons. J'aurais beau arpenter l'asphalte de la ville pour guetter l'ombre que tu aurais pu laisser sur les murs, comme l'amant irradié d'Hiroshima. Nos ombres confondues sur la pierre grise... Ton regard fondant sur mes lèvres pendant que je te parle et te tiens à distance, avec des mots froids, des mots de tête pour étouffer les feux du cœur, comme les vagues de la Méditerranée qui lèchent le sable et les rochers sous le soleil de midi. Et ton regard malade pendant que tes rêves viennent mourir en moi, comme l'écume au fond des criques... Je ne parviens pas à t'oublier... Et ta voix au téléphone qui se pose sur mon souffle coupé...»

Madame Sarrasin devait soumettre un scénario à l'équipe de production qui allait en discuter. Il y était question d'un bateau échoué dans la baie des Chaleurs et de recherches historiques. Elle décida d'en changer le contenu et se mit à rédiger d'une main fébrile: *Laisse-moi te dire comment la bataille de Poitiers fut gagnée par les Arabes. Tu vois la plaine... Une plaine immense perdue au fond des siècles, voilée de brume. Le bruit des armes... Le souffle des hommes et des chevaux, les cris, le sang, la douleur, et le chef, là-haut, sur sa monture affolée. Le chef avec son étendard surmonté d'un croissant, hurlant le nom d'Allah et du prophète comme s'il traçait des calligraphies élégantes et puissantes dans le ciel embrasé du couchant... Allah est grand! Puis d'un geste, le chef rallia les chevaliers autour de lui; il désigna la plaine. Les regards aigus des hommes se croisèrent comme des faisceaux de lumière noire. Ils comprirent. La défaite! Salah, le plus grand, pinça les lèvres, ses yeux s'injectèrent de sang. Pas une larme. Pas un mot. «Il nous restera l'Andalousie», pensa-t-il.*

Le chef dit: «Si vous ne pouvez les vaincre, épousez leurs femmes, épousez-les!» Puis le chef confia au vent: «Allah Akbar!» L'écho se répercuta dans la plaine. Les hommes psalmodiaient des prières. Ils étaient blessés, mourants, vaincus par la distance et le froid. Le chef ajouta: «Continuez l'histoire, épousez-les! Ralliez-les!»

Sadi, le plus jeune des chevaliers, agença trois pierres à l'orée du boisé. C'était le signe de ralliement pour les survivants. Il savait que ses compagnons d'armes le rejoindraient, qu'ils comprendraient le signe. Il fallait maintenant assumer la survie sur ce sol que les cavaliers avaient irrigué de leur sang, assurer la continuité de l'histoire. «Ici, à partir de ces trois roches, ralliement! Tous les ans, au sixième mois de l'année, à la pleine lune...» Ses compagnons et lui se donnèrent l'accolade et se séparèrent. Certains prirent la route du sud vers l'Andalousie, d'autres se cachèrent dans les bois. Salah le savait déjà, il serait seul au rendez-vous, les autres cherchaient des paysannes aux joues roses. Quelqu'un avait gravé sur l'écorce d'un arbre: «J'ai laissé sur la terre et la pierre et les branches les traces de mon sang. Il séchera. J'ai laissé dans le ventre des femmes la semence de mon corps. Elle vivra.»

Sadi, le survivant des chevaliers arabes devint hugue-

not; il fonda une société secrète chargée de veiller sur les enfants des chevaliers. Cette société a traversé les siècles, elle regroupe savants, commerçants, commis de l'État ou simples aventuriers. De l'Europe à l'Amérique en passant par l'Asie, ils se reconnaissent en se saluant du majeur et de l'index levés en souvenir des trois roches disposées en pyramide inversée, à l'orée du boisé, près de la plaine de Poitiers.

«La pyramide existe toujours. C'est là que je t'ai rencontré, huguenot devenu socialiste. Entre les brumes de la plaine de Poitiers, l'océan cruel et gris s'acharne à recouvrir mes souvenirs. Tu venais pourtant de loin, je ne t'ai pas vu tout de suite. J'étais enfermée dans ma nuit bleue, celle qui descend sur ma tête et mes mains pendant que je trace des signes pour combattre le temps...»

Est-ce pour cela que madame Sarrasin avait commis ce geste si terrible, prenant tout le monde par surprise?

Il y avait comme une autre *phase du manuscrit*, une sorte de brouillon: *Une plaine. Des hommes se battent. Le fracas des armes. La rumeur est effrayante. Le vent et le galop des chevaux la gonflent. Le chef arabe murmure quelque chose à son aide de camp qui approuve. Après la mort du chef, les survivants se terrent dans la campagne, ils guettent les paysannes aux cheveux blonds, ils les prennent parfois de force, tentative désespérée de laisser leur semence dans le ventre des femmes avant de retourner combattre dans la plaine et mourir. C'est de cette étreinte violente que tu es issu, et tu ne le sais pas. C'est de cette étreinte qui précéda la mort de l'homme que tu es venu jusqu'à moi. Tu es venu te jeter en travers de mon chemin, celui qui traversait la nuit bleue. Nous sommes les descendants des combattants de la plaine et nous ne savons pas si c'est l'étreinte furtive ou l'affrontement douloureux qu'il nous faut répéter. Ce que nous savons, c'est que nous nous connaissons de toute éternité. Ce que nous savons, c'est la trace que nous avons laissée l'un sur l'autre pour toujours. Et cet avion qui m'arrache ton corps... Toi et moi avons établi le lien sauvage que rien ne peut dénouer: ni le temps, ni l'espace... Nous n'avons plus besoin d'une présence physique. Nous sommes psychologiquement et intellectuellement en fusion, l'un avec l'autre, l'un dans l'autre. Sans doute nous fallait-il cette séparation, terrorisés que nous étions par le risque d'irradiation. Entre les plaines qui nous ont vus naître et ces villes incandescentes qui nous tiennent prisonniers. Nos corps se sont déchirés un soir sur la rue Stanley, il fallait nous quitter sans émotion. Depuis je veille sous la lumière de ton regard, je retrouve le calme désespoir d'un amour sans avenir.*

Madame Sarrasin avait tracé cette dernière phrase au crayon rouge, à la fin du manuscrit que l'on trouva sur sa table. Une de ses collègues était passée la chercher pour un visionnement; elle la trouva étendue sur le divan du salon, avec, tout près, un grand nombre de boîtes à pilules et un verre d'eau à moitié vide.

Près de son corps, il y avait un coquillage sur lequel était inscrite une date: 26 juin...

Turbulences

L'avion prenait de l'altitude en chutant dans les trous d'air. On annonçait des turbulences. Certains passagers transpiraient à grosses gouttes. Là-bas, à l'avant, un enfant pleurait. Les respirations se faisaient au rythme du balancement du gros 747.

Alya s'en réjouissait. Elle raffolait, lorsqu'elle était enfant, des balançoires, des ascenseurs, des toboggans et de tout ce qui décroche le cœur en allant un peu plus haut, un peu plus vite, un peu plus fort. Elle aimait sentir son corps léger, mobile, presque inexistant. Il lui semblait alors que sa chair s'effaçait pour laisser la place aux émotions, à l'âme... Est-ce qu'elle avait entrepris tous ces voyages seulement pour ça, pour les turbulences? Rien ne l'avait forcée à quitter son appartement tout blanc, niché au flanc du Mont-Royal, pour aller en pleine canicule faire d'interminables siestes, dans une bruyante pension de la piazza de Espagna, à Rome.

Rien? Un éclair traversa son imagination. Un éclair comme ce regard pourfendeur de l'homme qu'elle cherchait à rejoindre par-delà les continents et les océans. Elle le connaissait à peine. Mais sa vie avait changé à partir du jour où elle l'avait croisé dans une foule bruyante; ils s'étaient tous les deux engagés dans cette immense partie d'échecs faite de regards, de lettres d'amour et d'indifférence haineuse tels les héros tragiques de Kleist qui s'interpellent à se déchirer le cœur. À partir d'un sourire à peine esquissé, la passion avait fondu sur eux comme l'aigle sur sa proie. Sur elle surtout, qui était à la fois vulnérable, fragile, pantelante comme une proie, mais aussi cruelle, tenace, sauvage comme l'aigle.

Alya ne se souvenait presque plus de ce qu'avait été sa vie avant ces turbulences. C'était comme un rêve lointain. Ses journées étaient partagées entre le bureau et l'appartement. Elle s'occupait des histoires et des drames des autres. Elle avait choisi la profession d'avocate, presque inconsciemment, parce qu'elle voulait partager la chance que lui avaient offerte une enfance heureuse et une existence aisée. Se sentait-elle coupable d'une situation qui la mettait à l'abri de ce qui faisait frémir et pleurer tant d'autres femmes: la pauvreté, le divorce, les peines d'argent et de cœur? L'avocate Alya Nabralovna pouvait d'autant mieux les surmonter qu'elle en était parfaitement éloignée; elle avait le pouvoir de rationaliser, de raisonner les chagrins de ses clientes. Il arrivait que des hommes la consultaient aussi; elle ne faisait pas de différence. Ils devenaient un peu des enfants qu'elle devait défendre et conseiller en toute équité. C'est ainsi qu'elle s'était fait reconnaître comme l'une des meilleures juristes de la ville. Après les études, l'argent était venu sans trop d'efforts. Ce qui n'empêchait pas son imagination de battre la campagne. Maître Alya Nabralovna rêvait de voyages, mais pas sur ces plages des Caraïbes où il fallait bronzer pour montrer aux collègues de bureau qu'on avait les moyens de couper le trop long hiver Montréalais, et qu'on avait suffisamment réussi sa vie pour se permettre une petite évasion hors saison. Bien sûr, elle était de toutes les campagnes contre la faim dans le monde, pour la sauvegarde des enfants embourbés dans les affres de la guerre, etc., bref, elle s'impliquait socialement et d'autant plus volontiers que ses engagements ne prêtaient pas le flanc aux critiques et ne souffraient d'aucune équivoque quant à ses opinions politiques. Pourquoi alors sa vie lui paraissait-elle si confortablement ennuyeuse? Elle s'était pourtant offert toutes les aventures qu'une femme de quarante ans, financièrement autonome et émotivement libre, peut s'offrir. Elle se souvenait parfois, non sans tendresse, de cet homme qui l'avait aimée au mépris de toute convention sociale et qu'elle avait cruellement laissé tomber. Le chagrin de l'autre l'avait alors prodigieusement agacée. Il avait fini par la considérer comme «un être monstrueusement égoïste». Elle avait ri. Elle ne comprenait pas que l'on puisse faire autant de drames pour une aventure ratée. Les cas de ses clients lui paraissant moins réels, moins proches, elle les prenait plus au sérieux.

Elle se surprenait parfois à envier les grandes peines de cœur des autres. Mais Alya Nabralovna avait la force qu'il fallait pour ne pas perdre la face. L'amour, ce sentiment surhumain qui semblait écraser ses victimes d'un poids trop lourd, elle aurait aimé le vivre, juste pour voir, par curiosité. C'était l'été, et les radios de toutes les capitales du monde résonnaient du refrain de Carmen: «Si tu ne m'aimes pas, je t'aime, et si je t'aime, prends garde à toi!»

«Prends garde à toi!» sonnait comme un coup de semonce, une déclaration de guerre, une explosion. Le pire devenait beau. C'est cette étrange beauté que maître Nabralovna voulait connaître, et qu'elle craignait en même temps. Elle se disait parfois, avec une pointe de désespoir, que les grandes amours, comme les accidents, ça n'arrive qu'aux autres, et qu'elle participait sans doute de cette catégorie d'êtres humains qui traversent l'existence plus en spectateurs qu'en acteurs. Elle ressentait devant ses clients défaits la même ferveur, la même envie, la même communion que le critique devant l'artiste et son œuvre.

Alya n'avait connu jusqu'ici que ces gentils échanges qui mènent au mariage ou aux relations galantes, émaillés de quotidien. Mais jamais ce vertige fait de questions et de réponses, d'avances et de reculs, ce vertige qui tisse entre deux êtres le plus formidable, le plus violent et le plus obsédant des dialogues, avec ses ratés et ses réussites.

Pourquoi avait-elle décidé un soir, après une épuisante réunion de bureau, de se rendre à ce souper d'ouverture du troisième congrès du barreau?

L'appartement lui avait semblé glacial après les chaudes discussions dans l'atmosphère enfumée et bruyante. Elle avait à peine pris le temps de se doucher et de changer de vêtements, sans grande attention particulière à ce que ses collègues appelaient le *look*, cette nouvelle façon de se vêtir des nouvelles conquérantes du marché du travail et des affaires, le costume des battantes que suggèrent les féministes des magazines américains. Elle s'attendait à ce qu'on la remarque pour autre chose que sa coiffure ou la qualité de ses chemisiers. Mais ce soir-là, celui qu'elle avait surnommé «l'homme d'ailleurs» ne l'avait pas remarquée. Alors, quand? Le lendemain? Elle se souvenait vaguement d'une salle à l'éclairage froid. L'assistance devait subir les fanfaronnades laborieuses d'un conférencier plus soucieux de dissimuler ses connaissances que de les divulguer. Alors, comme des enfants qui deviennent complices en s'amusant aux dépens d'un professeur ennuyeux, elle blaguait avec son voisin de table, ils rivalisaient tous deux à coups de mots d'esprit et de remarques irrespectueuses. Quand l'orateur se retira, elle vit un étranger se diriger vers elle, le visage illuminé d'un sourire, l'œil bleu et malicieux, comme s'il la connaissait depuis toujours. Il l'interrogea sur sa spécialité; elle répondit: «Droit matrimonial.» Elle avait horreur du mot divorce. Lui, c'était le droit syndical, il n'employa pas le mot «politique».

Alya Nabralovna avait beau fouiller dans sa mémoire, elle ne se souvenait plus des deux ou trois phrases qu'ils s'étaient dites par la suite. S'était-elle montrée inconsciemment provocante? Avait-il décidé du haut de son arrogance méditerranéenne de briser la glace de cette femme qui osait lui répondre sans se troubler? Ils échangèrent leurs cartes de visite.

Il était reparti vers son pays et elle à son bureau et à son appartement. Jusqu'au jour où elle reçut une lettre tout à fait formelle lui indiquant qu'il serait présent à tel lieu et telle date — une de ces rencontres où paradent les spécialistes qui parlent le langage hermétique des disciplines qu'ils ont mis tant de temps à acquérir. Elle aurait pu ignorer le message. Elle mit deux longs jours à rédiger à la main une carte au style neutre et distant.

Le doute la torturait. Elle ne savait plus si elle avait imaginé les manières particulièrement chaleureuses que l'étranger avait adoptées avec elle et si, vraiment, il ressentait un sentiment quelconque à son endroit. Elle savait, pour l'avoir observé chez ses clients, que les hommes de certaines cultures manifestent plus volontiers des émotions qu'ils oublient ensuite bien vite.

Elle se mit à penser à lui de façon plus précise. Quel genre de vie menait-il? était-il marié? avait-il des enfants? Elle essayait de l'imaginer. Elle avait oublié la forme exacte de son visage, elle s'était laissé habiter plutôt par la couleur du regard et l'étrange sensation que cette brève présence avait éveillée en elle. À cause de cela, Alya Nabralovna avait glissé progressivement vers un nouveau style de vie, une nouvelle forme de pensée. Elle s'était approprié l'aura d'un homme qui se trouvait de l'autre côté de la terre, bien plus que s'il avait été là, tout près; le temps et la distance le rendaient plus vivant, plus réel que s'il avait été physiquement présent. Il faisait maintenant partie de son univers personnel au même titre que ses parents ou ses amis d'enfance. Elle ne pouvait se figurer la vie sans lui. Lointain et absent, il n'en était que plus obsédant.

Elle fit le voyage pour le congrès de Paris. C'est là

que les choses commencèrent à se compliquer. Il la regardait avec une sorte d'intimité, mais la tenait à distance par le geste et la parole. Elle se disait: «Nos pensées vont plus vite que nos capacités d'approche.» Pour la première fois de son existence, un homme lui faisait peur. La craignait-il, lui aussi? Peut-être avaient-ils eu l'intuition que l'ouragan de leurs sentiments irait ravager leurs existences respectives si bien organisées.

Les tourments de l'amour et les désordres du vague à l'âme ne pouvaient s'insérer dans des activités professionnelles froidement rationnelles. Ce serait la révolution, l'anarchie. Il fallait résister. Elle résista en essayant de se convaincre qu'il s'était moqué d'elle, qu'il l'avait manipulée, qu'il n'était ni si naïf ni si vulnérable qu'il n'y paraissait. Il avait provoqué une situation qu'il laissait traîner comme à plaisir sans jamais se déclarer ouvertement ni s'effacer définitivement. C'était cruel, Alya Nabralovna aimait jusqu'à cette cruauté.

L'obsédante question revenait toujours: comment en était-elle arrivée là, à cette sorte de bataille sans cesse recommencée? Au rêve qui prenait tout l'espace. À la vie qui se résumait à cette partie de bras de fer entre deux cœurs par-delà les distances et le temps. D'un aéroport à l'autre, d'un coup de fil à l'autre, deux humanités se cherchaient comme le soleil déchire les nuages de l'aube pour rejoindre l'horizon où il sombrera à la fin du jour, comme la mer qui couvre la plage et se retire en soupirant. À l'autre bout du monde, l'homme feignait-il l'oubli? Alya envoyait un mot: silence. À son tour, elle s'efforçait de penser à autre chose; lui parvenait alors une lettre qui l'invitait de façon ambiguë. Elle faisait ses bagages et accourait pour se heurter à l'absence de celui qui avait toujours des missions de dernière minute.

Et la place d'Espagne à Rome résonnait des échos pathétiques de la poésie de Byron et Shelley. Et les questions revenaient comme une torture; qu'est-ce qui la poussait, elle, Alya Nabralovna, à prendre sans arrêt les mêmes avions, à toujours s'inventer des prétextes pour se retrouver dans la ville où il existait, ombre mystérieuse. Comme si la distance ne suffisait pas, il fallait encore qu'il se dissimule derrière ces absences volontaires ou non. «On n'aime jamais par hasard», lui avait dit un ami qui se piquait de psychologie. Pourquoi s'était-elle affolée pour un homme qu'elle avait si peu de chance de revoir?

«Aimez-vous les échecs?» lui avait demandé un fonctionnaire aux cheveux gris. Elle reçut la question en plein cœur, accusatrice. Les jeux d'échecs, avait précisé l'autre. Elle n'avait pas répliqué. Elle se voyait très clairement courant d'une case noire à une case blanche, traversant des zones d'ombre et de lumière, des nuits, des jours, vulgaire petit pion qui irait s'effondrer aux pieds d'une tour ou d'un royal morceau de marbre que des mains invisibles manipulaient pour arriver au triomphal: *échec et mat!* Qui oserait affronter le roi? Celui qui savait si bien, du haut de son chauvinisme arrogant, alterner regards séducteurs et tendres et expressions moqueuses, les plus blessantes.

Alya Nabralovna voulait mourir. Elle se sentait à la fois manipulée et manipulatrice, elle était la complice d'une situation qui la perdrait. Elle se fatiguait à marcher dans les rues de la ville, à courir d'une fontaine à l'autre. Ces étapes de pierre et d'eau lui semblaient chargées de symboles comme autant de haltes rafraîchissantes qui jailliraient au cœur des places écrasées de soleil. Elle avait alors la nostalgie des longues pistes neigeuses qui courent sous les arbres à travers la forêt québécoise. Elle entendait le sifflement des skis sur la glace et voyait le givre miroiter entre son regard et le ciel. Un cavalier noir émergerait de la tempête poudreuse et blanche; il avait à la main le miroir qui réfléchit le soleil. Les alternances de lumière et d'ombre la ramenaient à l'échiquier de marbre sur lequel elle s'était engagée depuis sa venue au monde, petite pièce dure mais fragile, glissant périlleusement sur des réseaux de pouvoirs et mettant en cause, par ses mouvements, d'imprévisibles relations entre des pions sombres ou lumineux. Les fontaines de la nuit roucoulaient des murmures d'amoureuses et résonnaient, le jour, de la fureur des klaxons et des rumeurs de la ville.

«Dites à l'aimé qu'il n'est terreur que de son absence.» Sur les murs du château Saint-Ange, une prisonnière inconnue avait tracé ces mots aux couleurs de sang; Stendhal y avait rêvé de l'abbesse de Castro et des trahisons de Vanina Vanini. Les vieilles pierres continuaient de répercuter les noms des amants qui s'y étaient perdus. «Si je t'aime, prends garde à toi.» Peut-être n'avait-elle pas suffisamment pris garde à elle-même. Peut-être préférait-elle cette souffrance d'un amour malheureux à son ancien bonheur paisible?

Là-bas, au loin, dans la tranquillité montréalaise, un appartement tout blanc avait abrité les jours sans drame de maître Alya Nabralovna et les façades de pierre grise étaient muettes. Les étés s'y bousculaient pour faire place à l'interminable saison de la glace et du froid. On pouvait y attendre son destin ou courir s'y flamber les ailes, tel le papillon foudroyé par la lumière qui l'attire et le brûle. Il y aurait désormais une succession de rendez-vous manqués et de demi-silences... Comme le drogué aime sa drogue, comme l'enfant martyr aime ses parents bourreaux, Alya aimait jusqu'à l'absence d'un homme qui n'existait que dans ses rêves. Ce dernier voyage, elle l'avait volontairement prolongé, elle ne voulait plus quitter la ville. Elle se voyait parfois, à quelques années de distance, semblable à cette vieille clocharde qui hantait les fontaines de Rome en radotant sur ses amours perdues et en riant toute seule. «Vous devriez rentrer chez vous, lui avait dit son amie romaine, vous allez devenir folle!» Elle avait ri à gorge déployée. Folle, moi? mais voyons. Alya Nabralovna ne s'était jamais sentie ainsi: tellement vivante, si présente au monde, elle rayonnait. Puis la belle Romaine ajoutait, en lissant d'une main distraite ses cheveux gris: «Il doit vous aimer, lui aussi, mais il arrive que les hommes manquent de courage dans de telles situations.» C'est peut-être le mot «courage» qui avait provoqué une sorte d'explosion interne, une implosion dans la tête et le cœur d'Alya; à partir de cet instant-là, elle se sentait belle et brisée comme un jardin de cristal.

Maintenant, maître Nabralovna rentrait à Montréal avec la conviction qu'elle ne reverrait plus jamais le visage qui avait tant bouleversé sa vie, qu'elle n'entendrait plus la voix aux accents chantants. Plus jamais? Non, elle ne pourrait pas survivre à une telle conviction; il lui fallait imaginer qu'elle croiserait encore et encore ce regard tour à tour humble, dominateur, coléreux, enfantin ou étonné et se dire que c'était l'homme du destin, celui qui s'était jeté comme une pierre sur la surface de sa vie tranquille et qui n'en finissait plus de faire des vagues.

À Rome, elle avait passé des journées entières à traîner ses pas sur l'herbe et la poussière des forums impériaux, songeant aux gloires et aux défaites, aux haines et aux amours qui s'y étaient échangées. Seules les colonnes de marbre brisées témoignaient silencieusement du passage des fragiles silhouettes humaines qui avaient hanté ces lieux pendant des siècles. Des sculptures, des graffiti, comme les ombres sur le mur après l'explosion d'Hiroshima. Il ne restait plus rien. Rien que des mots, des noms, des phrases, des poèmes répercutés depuis la nuit des temps, tracés sur la pierre par des mains qui n'étaient plus. Et elle, Alya

Nabralovna, s'était promenée parmi les ruines en se persuadant qu'elle portait en elle un amour fort comme l'éternité pour un homme qui ne le saurait peut-être jamais. Elle avait ainsi fait la navette entre Rome et Montréal, convaincue qu'elle vivait le plus formidable et le plus douloureux des bonheurs. Dans l'avion, l'hôtesse la regardait curieusement. On allait bientôt atterrir à Mirabel.

Turbulences... Elle n'avait prévenu personne. Mais elle espérait secrètement que quelqu'un viendrait l'attendre, avec un manteau bien chaud. Lui, peut-être, avec son sourire moqueur et vaguement protecteur. Elle frissonna... L'amie romaine lui avait dit: «On croit que les poètes et les romanciers inventent, et puis un jour... On aime tellement fort qu'on ne peut plus penser à autre chose. On y perd son orgueil et sa fierté. On peut en mourir. Moi, j'ai eu de la chance; je me suis levée un matin en me disant "C'est fini." Depuis je vivote, mais avant, je l'avais suivi à l'autre bout du monde.» Alya s'entendit répondre: «Moi, je ne veux pas que ça finisse», et elle regarda intensément le visage triste et serein de la belle Romaine.

Les avions qui sillonnent le ciel savent-ils qu'ils transportent parfois des amours clandestines? Le douanier canadien ne se doute pas qu'Alya Nabralovna n'a pas besoin de déclarer ce qu'elle rapporte au pays. Ses valises sont pleines de papiers couverts de graffiti fiévreux volés aux murs de Rome, mais son visage a la sérénité des martyrs et des saintes. Le fonctionnaire au regard neutre la laisse passer.

Oui, quelqu'un attend là-bas, derrière la vitre, avec un manteau sur le bras, il sourit. Même si ce n'est pas le grand amour romain, ce n'est pas grave. Alya Nabralovna se sent très fatiguée. On l'aide à s'engouffrer dans un taxi qui s'arrêtera bientôt devant une grosse bâtisse victorienne. On demande à Alya son nom et son adresse. On l'emmène vers un beau lit tout blanc. Elle s'y allonge avec un soupir de soulagement. Elle espère qu'on va lui donner des médicaments pour dormir longtemps.

Un monsieur tout gris avec des lunettes d'écaille lui dit: «Je suis le docteur Robitaille, votre psychiatre.» Elle lui sourit à peine et répond: «Je suis Alya Nabralovna, j'entends la musique des fontaines romaines... Je sors d'un avion où il y avait beaucoup de turbulences...»

Les roses de septembre

Vingt têtes qui la regardent dans cette salle de classe où les étudiants ne sont plus tout à fait jeunes. Elle se présenta, elle avait le trac. Quand on est professeur, psychologue, dans la cinquantaine, on laisse planer sur son âge un certain mystère. On s'offre le luxe fragile de petits mensonges soumis aux caprices de la mémoire. Dernière enfant d'une vieille famille de Québec, Alma avait grandi et mûri sans drame ni heurt. Le temps du mariage et des maternités passé, elle n'a pas eu ou pas voulu sortir du confortable ronronnement de la vie familiale. La vie des autres, et tout ce qui se passait hors des murs de la grosse maison de la haute ville, lui semblaient hérissés d'embûches. Bien sûr, les amoureux n'avaient pas manqué. Mais cravatés, compassés et sitôt entrés dans le salon, ils devenaient aussi dérisoires que de gros papillons exotiques et inutiles. D'ailleurs tante Emma avait une telle façon de les ignorer qu'ils finissaient par se sauver de cet univers de femmes aux porcelaines fines et aux tissus délicats. Ils se déplaçaient comme des funambules, craignant de briser quelque chose avant de franchir la porte pour fuir à jamais... Maman, tante Emma... comme si l'enfance s'était arrêtée entre ces deux femmes à l'autorité douce mais vaste et forte comme un océan d'interdits et de désirs réprimés. Puis, les études, le travail, l'enseignement de la psychologie, pour mieux fuir l'enfance... Ou la retrouver.

«Je leur ressemble», se dit-elle. Ces vieilles personnes douces, pieuses, autoritaires et démunies comme des enfants justement, ce sont ses parents sur lesquelles elle veille avec une jalousie maternelle, se laissant couler avec tendresse le long de ce destin tissé de trois vies sans dissonance. Sans dissonance? Alma se revoit mentalement: le cours du matin... Elle peut en évoquer les images à volonté, remonter ou démonter leur succession dans sa mémoire. La veille, elle était en compagnie de ce médecin étranger, il terminait son séjour ici, elle évitait de revivre ce qui s'était passé entre eux, et ce qu'il avait dit, mais elle était fermement décidée à lui présenter Caroline Day, psychiatre, elle aussi, et capable de comprendre un étranger. Curieusement, en pensant à l'homme de la veille, une phrase émergeait en elle comme si elle lui était dictée: «Un cristal de rosée tremble sur la lèvre fanée d'une rose de septembre, plus belle en souvenir de l'été mais encore fière en attendant l'hiver.» Elle ressentait plus vivement son angoisse de vieillir et sa peur de l'inconnu.

Alma revoit dans sa tête, le cours du matin...

— Vous sentez bon, qu'est-ce que c'est?

— De la citronnelle et de la bergamote, une composition de ma tante.

— Encore un truc bourgeois!

Il était penché vers elle, du haut de ses six pieds, il semblait plus vieux que ses vingt-cinq ans. Elle calculait: un homme de cinquante ans qui sort avec une femme de vingt-cinq ans, c'est superman, tandis qu'une femme, elle... Ils rirent de bon cœur, il était déroutant, intéressant, charmant...

— On va prendre un verre?

Elle répondit très vite, comme si elle craignait qu'il ne change d'avis.

— Pourquoi pas?

Ce jour-là, une prof et son élève quittèrent ensemble

l'université, marchant d'un bon pas vers le centre-ville où le secret des conversations se perd dans le brouhaha des cafés. Elle se rafraîchissait dans le regard de son jeune élève comme si l'étranger qu'elle avait quitté la veille lui avait brûlé le cœur. La présence du jeune évoquait le murmure clair d'une source au fond des bois.

Il parlait peu. Elle se perdait dans ses pensées et se souvenait de sa mère, penchée sur ce rosier qu'elle affectionnait particulièrement et qui donnait de merveilleux boutons — couleur chair rose-orange avec un parfum si subtil —, lorsqu'ils s'ouvraient pour un jour, un seul. Leurs pétales tombaient ensuite, dénudant un cœur toujours odorant. Tante Emma courait les bois en voiture et rapportait des églantiers avec leur motte. Maman coupait les bourgeons à son rosier de septembre, taillait les églantiers, entourait le rejeton avec des brins de laine, s'étonnant elle-même de l'habileté de ses doigts déjà déformés par l'arthrite. Mais les greffes ne prenaient jamais, comme si *septembre* tenait à rester le seul, l'unique à hésiter avant le long sommeil de l'hiver. De temps à autre, maman questionnait: «Alma, penses-tu que *septembre* — elle s'amusait du surnom qu'elle avait donné à son rosier — a survécu à l'hiver? Il a fait tellement froid cette année...» Elle trouvait les hivers de plus en plus froids...

Alma se demandait comment l'étranger de la veille avait réussi à avoir des roses de septembre, dans un vase de cristal taillé avec des angles aussi coupants que son regard. Il en avait pris une et la lui avait offerte. «À cause, dit-il, du cristal que nous portons chacun en nous.» Comment avait-il deviné qu'elle était, elle aussi, responsable du suicide de ce jeune homme qui l'avait follement aimée?

Le soleil est revenu

Ils arrivaient parfois comme des oiseaux tombés du nid ou comme des réfugiés au lendemain de terribles batailles. Chaque fois qu'un de ses enfants ou petits-enfants frappait à sa porte, Mona ne pouvait s'empêcher de frémir à la pensée des épreuves qui, parfois, ponctuent la vie. Tout en se réjouissant, non sans culpabilité, de constater que c'était chez elle qu'ils venaient se reposer sous son aile maternelle, quand le destin les blessait, qu'ils venaient se réchauffer de tendresse avant de repartir, de nouveau aguerris, vers leur existence. Elle se sentait alors comme une entomologiste qui soigne des ailes froissées par de trop brusques envols, pour ensuite libérer les spécimens les plus chers à son cœur.

Ces demandes de secours enracinaient Mona dans la vie; elle se voulait solide et grande comme une montagne, puissante et éternelle comme l'océan pour protéger ses chers enfants et, quand elle le pouvait, ceux des autres. Elle ne savait pas se protéger de la détresse des autres; plus que quiconque, elle avait le sentiment de souffrir du désarroi de si nombreux petits humains plongés dans la guerre et la misère. Le monde lui paraissait impitoyable, elle se prenait parfois à regretter les temps d'ignorance qui innocentaient sa jeunesse. Son impuissance à sauver les autres la rendait folle de rage, au point qu'elle se surprenait parfois à marmonner des discours passionnels qui se perdaient dans sa tête, gouttes de pluie dans un lac.

Fatiguée et amère, elle avait décidé de faire, de temps en temps, la sourde oreille aux rumeurs du monde. Elle se contentait de donner à qui les lui demandait la parole qui rassure, le geste qui console, le baume affectueux de son grand âge et de sa sagesse.

Malik, c'était le plus jeune de ses petits-enfants, celui qui était si menu, si mignon qu'on l'avait surnommé moustique et qui, avec le sens de la sonorité propre aux enfants, en avait fait Moulik, puis Malik. Aujourd'hui encore, du haut de ses six pieds, il répond quand on l'appelle Malik, c'est drôle... «Ta mère est fâchée contre moi, tu n'aurais pas dû les quitter comme ça, tes parents sont affolés.» Mona dit cela avec une voix sourde, s'efforçant de prendre la mine autoritaire et grondeuse propre à impressionner cet enfant tellement plus grand qu'elle. Sans attendre de réponse, elle se cale davantage dans son fauteuil et ferme les yeux pour mieux se souvenir...

Elle avait beau être grand-mère, elle ne s'était jamais tout à fait consolée du départ de ses enfants, les sensations lui revenaient comme s'il ne s'était rien passé depuis qu'ils avaient quitté la maison, un à un, lui faisant revivre les affres de l'accouchement, désertant son univers douillet comme ils avaient déserté son corps de femme, l'abandonnant entourée de vide. Ils ne revenaient chez elle que pour reprendre leur souffle quand la vie les brutalisait à coup de chagrins d'amour, de problèmes d'argent ou d'amitié. Puis après quelques jours de bonheur partagé, ils repartaient vers leurs affaires, plus sereins, plus sûrs d'eux, réarmés d'une enfance nouvelle.

Elle en avait tant réparé de regards abîmés par l'envol fragile vers le monde et ses pièges! Elle en avait tant écouté des tribulations d'adultes naufragés! Et ils avaient grandi, sans qu'elle veuille jamais y croire: pour Mona, c'était toujours «les enfants».

Ses filles avaient remarqué sans aménité la première ride, le premier chancellement dû aux rhumatismes. Mais elles avaient toujours été là pour le quotidien, les premiers secours, même surchargées de travail; elles avaient veillé sur les maladies de leur mère et mis de l'ordre dans la maison. Mona les avait aimées sans effort, les croyant plus fragiles que les garçons. Elle les avait aimées peut-être mal, mais tout de même... Quand Malik, le puîné de sa seconde fille, était venu habiter chez elle, les parents s'étaient objectés: «Tu es trop âgée, il va te fatiguer... tu vas le gâter.» Ils étaient jaloux, bien sûr. Et elle, Mona, cachant son contentement, les avait raisonnés: «Mais j'habite juste à côté de son école...»

Dans le fond de son cœur, elle était heureuse, malgré les portes qui claquent et le beau chandelier de cristal brisé, malgré les grands gestes maladroits des amis de Malik et la cacophonie de la musique électronique; avec son petit fils, une tornade de jeunesse et de vitalité balayait son univers de petite vieille paisible et retirée. Il était arrivé par un soir de grand vent, trempé de pluie glacée, le petit Malik, comme un exilé, un réfugié blessé des batailles de l'amour qui l'opposaient à ses parents. Elle l'avait réchauffé, nourri, couvé. Il l'avait entraînée dans la complicité; elle avait menti pour lui, s'était même cachée comme une vieille amante quand il ramenait des jeunes filles, le soir, pour leur faire visiter *sa* maison. Elle tendait tous ses muscles pour se redresser, quand il la présentait parfois à ses copains: «C'est Mona, ma grand-mère...» Pourquoi pas Mamie, mémé...? il faisait comme son oncle qui surgissait toujours en coup de vent et l'appelait par son prénom.

«Allez, Mona, on sort, tu viens dis, Mona?» Elle avait beau protester: «L'âge, les maux de dos...» Il riait, la prenait par les épaules: «Arrête de te plaindre... tu nous enterreras tous!» Et elle faisait comme il voulait.

Au fait, lequel des deux, de Malik ou de l'oncle, avait une petite veine bleue sur la tempe droite et arrêtait ses rires dans sa gorge en la regardant avec de grands yeux mouillés? Elle avait toujours eu pitié des hommes qui ne savaient pas pleurer, alors qu'elle, elle rugissait comme la tempête dans les bois, elle détrempait ses mouchoirs, se lavait le visage avec ses larmes, jusqu'au vertige et à l'apaisement qui effacent les chagrins. Mais quand ils étaient là, les enfants, elle pleurait d'amour, elle devenait gâtée de se savoir aimée; elle voulait mourir dans ses pleurs comme on meurt dans la mer au soleil.

Elle sursauta, tirée de sa somnolence par le claquement de la porte. «Je devrais lui dire... pensa-t-elle, il me fait bondir le cœur, il va m'achever, à mon âge...» Il lui appliqua deux baisers sonores sur le front, il se planta devant la fenêtre, et la lumière découpait son beau profil de tout jeune homme. Elle le regarda comme on boit à une source d'eau claire. «Tiens, il s'est rasé... il est donc déjà si grand, mon petit-fils? Comme le temps passe...» Elle se revit, il n'y avait pas si longtemps, berçant le petit corps tiède et vagissant qui remplissait sa poitrine, sa tête et son cœur des palpitations douces de la vie. «Le fils de ma fille», se répétait-elle, pour mieux y croire...

Le temps avait passé si vite depuis l'époque où, tremblante de terreur et de fatigue, elle avait échoué dans ce pays, fuyant ce qui devait être la dernière des guerres. Et elle avait survécu, le corps humilié de travail et de froid, le dos lancinant, la tête vide. Elle avait si souvent regardé le ciel gris que quadrillaient les grilles de la manufacture de textiles. Elle avait fait les grèves et appris la langue locale, mais elle ne s'était vraiment sentie chez elle que le jour où elle avait pu acquérir cette vieille maison. Et le temps avait passé, si vite...

— Je somnole tellement souvent maintenant, ce doit être l'âge...

— Eh Mona! tu ne vas pas recommencer à te plaindre, tu n'es pas si vieille... t'es encore capable!

Non, elle ne recommencerait pas, elle tentait simplement de le préparer à son absence, quand la mort viendrait la chercher.

— À mon âge, il faut bien penser à la mort.

— Tu ne vas pas mourir maintenant. Regarde, le soleil est revenu!

Elle regarda son petit-fils comme si elle le voyait pour la première fois, elle admira encore le beau profil et constata que le brun de ses yeux devenait plus clair, plus brillant quand il avait de la peine. Elle s'en voulut d'avoir provoqué ce petit rayon doré dans ses prunelles sombres.

— La mort attendra bien encore un peu, souffla-t-elle, c'est vrai, le soleil est revenu.

Ouvrage de dame

Elle passait sur le trottoir d'en face, son pas était souple, ses vêtements extraordinairement élégants, des teintes douces, des camaïeux de beige et de rose. Elle ne parlait à personne, elle m'impressionnait. Une dame dont on disait: «Elle fait tellement de choses dans la vie», sans que l'on sache exactement quoi. Je me demandais si elle avait une famille, ce qu'elle pensait, bref, elle m'intriguait. Jusqu'au jour où je l'ai rencontrée dans une boutique d'antiquités. J'étais entrée là sans grande conviction, à la recherche d'un cadeau pour ma mère. Je ne savais jamais comment trouver ce qui lui ferait plaisir. Ma mère fait partie de ces personnes qui savent si bien ce qu'elles veulent, ce qui se fait et ne se fait pas, qu'on est toujours convaincu de faire preuve de mauvais goût et de ne pas savoir choisir.

Madame L. était devant moi, examinant avec attention des napperons de dentelle jaunie. Elle levait l'ouvrage vers la lumière, le palpait, réfléchissait, observait un point comme un lapidaire regarde une pierre précieuse.

— De la dentelle de Bruges... Vous aussi, vous cherchez des ouvrages de dame?

— Non, je cherche un cadeau pour ma mère.

Elle leva sur moi ses yeux gris-bleu et me dévisagea comme si elle avait voulu découvrir ma mère à travers moi.

— Regardez celui-ci, il est joli, non?

Elle tenait à la main un carré de lin légèrement froissé,

parsemé de petites fleurs mauves brodées à la main au point lancé, avec des tiges et des feuilles de ton plus clair.

— Je crois que maman n'aime pas le mauve, dis-je, perplexe.

— Quelle couleur aime-t-elle alors?

— Euh... Rose, du gris-rose. Pour peindre, elle ajoute du brun au rose afin de donner du caractère à la couleur.

— On pourrait trouver quelque chose dans ma collection, est-ce que vous voulez venir voir chez moi?

— Mais... Je ne veux pas vous déranger...

Lorsque Madame L. ouvrit la porte vitrée pour me laisser passer, j'eus l'impression de rentrer dans une maison d'un autre pays. Des tapis, des tissus partout et une légère odeur d'herbe et de citron. Des livres aussi, beaucoup de livres.

— Quel âge avez-vous?

Je me sentais vieille. J'étais dans une drôle de période, entre la fuite de l'enfance et l'angoisse de ce qui nous attend. J'étais une vieille enfant de quatorze ans qui en paraissait vingt. Je me sentais en arrêt, hésitant à pénétrer dans le monde des adultes. La moindre de mes pensées me semblait manquer d'innocence. J'étais à l'âge où l'on se croit transparente, où l'on pense que les autres devinent instantanément tout ce qui nous passe par la tête. L'âge ingrat. Et je ne savais pas jusqu'à quel point ma rencontre avec Madame L. allait changer ma vie.

Elle me montra un petit napperon de plateau qui conviendrait parfaitement à ma mère. Je voulais le payer. Elle refusa.

— Si c'est vraiment important pour toi de payer, je peux te suggérer de me rembourser en venant m'aider. Je suis débordée. J'ai une quantité impressionnante de papiers à classer. Si tu veux, tu peux venir la semaine prochaine...

J'y suis retournée la semaine suivante, avec, bien sûr,

le sentiment étrange que je m'engageais dans une curieuse aventure. La suite des événements allait non seulement me donner raison, mais changer assez sérieusement ma façon de voir les choses.

Jusque-là, j'étais une étudiante assez moyenne, sans autre intérêt pour la vie ou la société que ces sorties de fin de semaine quand nous partions en groupe, filles et garçons, nous agglutiner dans un coin de discothèque où la musique était aussi présente que la fumée des cigarettes. Je réussis donc à me trouver un vendredi après-midi libre et me présentai chez Madame L. Je la trouvai tranquillement installée au milieu d'une montagne de tissus brodés, de papiers et de photos propres à décourager n'importe quelle ménagère.

— Vous voyez? C'est ça le contenu de la malle numéro six.

Je la regardais sans comprendre et commençais à avoir peur. À cette époque-là, je pensais que les adultes ont toujours toutes sortes de manies.

— Ces coffres ont appartenu à ma grand-mère, dit-elle, c'est d'elle que me vient la manie de collectionner les dentelles et les tissus brodés. Elle en a fait beaucoup, elle a même écrit des poèmes, un journal, regarde...

Elle me désigna une quantité de petits cahiers à couverture noire et bleue.

— Tu peux lire...

C'était une écriture penchée, pleine de fioritures comme on en faisait dans l'ancien temps. Je lus: «C'est la crise. Mais je me débrouille. Travail à l'usine de coton de Utica. Je ramasse de l'argent. Payer le train vers le sud. J'ai vu un homme noir pour la première fois. J'ai eu peur. Puis on s'est parlé, il m'a dit que la vie est encore plus dure dans le sud. J'irais quand même.» J'interrompis ma lecture:

— Elle a beaucoup voyagé, votre grand-mère?

— Oui, et regarde comme c'est organisé, les cahiers noirs pour les récits de voyage, les bleus pour les poèmes.

— Ça n'a jamais été publié?

— Oui, sous un pseudonyme. J'ai passé un an à chercher l'éditeur... Je n'ai rien trouvé. Les livres ne se sont peut-être pas vendus ou alors ils ont été traduits en anglais, et là... Sous quel nom et comment les retrouver?

— Je peux continuer à lire?

Elle me fit oui de la tête, je tournais les pages, de nouveau la petite écriture penchée, comme une voix venue de loin: «Je me suis baignée dans le ruisseau. C'était glacial. Mais le bonheur de se débarrasser des poussières de la route! En sortant, j'ai vu un homme, il me regardait, ahuri. Il croyait que j'étais un garçon avec mon habit de travail et là, toute nue, tremblante de froid devant lui...» Quelques pages avaient été arrachées, puis: «Petite Mado est née au mois de juin, le 20, plus exactement. Tristesse de ne plus pouvoir courir les routes avec mon habit d'homme et bonheur de la serrer dans mes bras. Mon bébé est une belle fille. Pour elle, pas de guerre.»

— Qu'est-ce qu'elle est devenue, sa fille?

— C'est ma mère. Ma mère est née en 1915. Elles sont rentrées au Québec à Saint-Hyacinthe. L'homme dont elle parle, c'est Sam, mon père, il est mort à la guerre, en Europe, je ne l'ai jamais connu.

— Finalement, votre grand-mère, elle a fait comme Kerouac?

— Probablement, mais pour une femme, ce devait être assez extraordinaire à l'époque.

Je revenais toutes les semaines chez Madame L. pour fouiller dans les coffres de métal et les grosses malles de marin; nous avions bien du plaisir à classer, répertorier, étiqueter les objets et les manuscrits. Ma dette était payée depuis longtemps, je ne venais plus que par curiosité. Comment une seule personne avait-elle pu faire tant de jolies choses en voyageant continuellement?

— Elle est morte à quatre-vingt-trois ans, me dit Madame L. Elle occupait tout le premier étage. Elle dormait là au milieu des plantes, des malles et des chats.

— Vous ne l'avez jamais interrogée sur sa vie?

— On ne pense pas à interroger sa grand-mère.

— Elle s'appelait comment?

— Hortense. Hortense Dubois.

Hortense m'envoûtait, j'aurais aimé la connaître. À travers ses objets et ses écrits, on la sentait aussi vivante et aussi jeune que si elle était toujours parmi nous. Je finis par passer plus de temps dans les affaires d'Hortense qu'à la discothèque.

Madame L. enseignait dans un cégep. Je voulais suivre son cours. Monter une troupe de théâtre et voyager pour suivre les traces d'Hortense. Hortense que j'imaginais déguisée en garçon sur les routes de la Californie et du Mexique. Hortense faisait semblant d'être muette et sourde pour qu'on n'entende pas sa voix de femme. Une sorte de Calamity Jane québécoise, puisqu'elle rapportait dans ses manuscrits qu'elle s'était acheté un 22 *long rifle* «pour faire peur aux voyous». Plus loin, elle raconte: «Rentrer au Canada et mettre des robes de satin. Je porte l'habit d'homme comme une religieuse la bure. Cette liberté coûteuse que je me suis offerte. Ma liberté, mon beau souci.»

Et, dans un petit cahier bleu, celui des poèmes:

C'était une armée de mots
Chargés de mémoire
Partant vers une liberté
Ardente à boire.

«Mon amour déchiré par la distance et le temps. Mon amour comme un feu que le vent du souvenir attise. Lorsque nous nous retrouverons tu promettras de ne plus jamais me quitter. Déjà je sais que je ne serais plus jamais toute seule.»

Un jour, mon ami Patrick eut la lumineuse idée de mettre une annonce dans des magazines américains. Nous avons reçu une lettre. Une seule. Mais c'était suffisant pour que, profitant des vacances de Noël, nous mettions nos économies et nos bagages dans cet avion qui nous transporta à Los Angeles; ensuite, nous trouvâmes une vieille jeep de l'armée qui nous véhicula à travers le paysage lunaire du désert du Nevada, jusqu'à ce que les gens de là-bas appellent des *Ghost Towns*, près d'une mine d'argent désaffectée où Ruth, la sœur de Sam, nous parla de son frère et de la *Strange French Woman*. Elle nous montra des lettres où Sam parlait du «garçon qu'il avait surpris près de la rivière Potomac et qui était en réalité une femme». Il y racontait leur voyage aux Antilles et comment Hortense gagnait de l'argent en vendant «des histoires pour adultes» à des éditeurs qui la payaient, poste restante. Il joignait même un petit mot d'Hortense avec un bout de poème en français:

> Dans les îles sous le vent
> La tendresse est un serpent d'or
> Qui coule des bananiers.

Les îles où Hortense avait dû passer ses derniers jours heureux avec Sam, avait qu'il ne parte en Europe. Tout cela était intrigant, mais ne nous avançait guère, nous courions après un fantôme de femme déguisée en homme, qui feignait d'être sourde et muette et qui hantait les routes du continent du nord au sud et de l'est à l'ouest, d'abord seule, puis accompagnée d'un certain Sam Doley.

Nous nous apprêtions à rentrer à Montréal quand la sœur de Sam, qui nous répétait, avec un sourire attendri, *she was crazy, she was really crazy*, se leva, traversa le salon où ronronnait un climatiseur et revint avec un petit livre relié rouge et noir, qui lui était dédicacé: l'écriture était celle d'Hortense; l'éditeur, Henry Finsey and Co.; l'auteur: Harry Wood. Le titre: *The Wild Horses*. Est-ce à la demande d'Hortense que le titre avait été traduit en français, en petites lettres blanches? Je m'amusais à imaginer les lecteurs américains s'efforçant de prononcer: *Sur la route des chevaux sauvages*.

Mais Patrick, Madame L. et moi étions surtout ravis de pouvoir ajouter une nouvelle pièce à ce que nous appelions «le puzzle d'Hortense».

Il nous faudra encore bien des économies et bien des petites annonces et des vacances pour courir les bibliothèques et les routes à la recherche de ceux qui auraient pu connaître Hortense et qui étaient encore vivants.

Une dame de Saint-Hyacinthe nous raconta comment pendant son enfance elle avait entendu parler «de la folle qui avait vécu aux États et qui ne parlait jamais à personne, qui avait beaucoup d'argent, sans qu'on sache où elle l'avait trouvé, et qui voyageait souvent en laissant sa fille chez une nourrice». «On dit même que son mari n'est pas mort à la guerre et qu'elle l'aurait tué.» Cela semblait surprenant, tant dans les récits et dans les poèmes d'Hortense on sentait son amour pour Sam, amour partagé, semblait-il.

Soudain, un petit récit me revint en mémoire, je l'avais pris pour une ébauche de roman. Hortense y décrivait un homme revenu de la guerre tellement changé, tellement démuni que sa femme l'avait caché comme un enfant malade, qu'elle l'avait soigné, protégé sans que personne n'en sache rien. Je compris qu'Hortense avait elle-même livré son secret à qui saurait déchiffrer son message.

— Il est vraiment mort à la guerre, dis-je.

Avec Madame L., nous décidâmes de brûler les cahiers d'Hortense qui contenaient de façon codée la description de ses dix années de lutte avec l'amour qu'elle portait à un homme qui était plus mort que s'il n'était jamais revenu.

La photo

C'était un vendredi 13, à Montréal. Il neigeait doucement et l'on s'apprêtait à fêter Noël. Éva se préparait pour le voyage. Elle allait revoir son amour à Londres et de là, ils iraient tous les deux à Florence... Elle regarda encore une fois la photo de mariage de ses parents. Au verso, il y avait la signature du photographe, et la date: 2 décembre 1940. La signature était illisible. Si Éva avait eu la bonne idée de la mettre devant un miroir, elle y aurait déchiffré le nom: Dominique Lavenant.

Dominique venait d'avoir vingt ans en 1940, il photographiait le mariage de sa sœur aînée et se réjouissait du bonheur de la famille, sans se douter que la Gestapo viendrait l'arrêter quinze jours plus tard pour activités communistes. Dominique ne se séparait jamais de son Kodak à accordéon noir. Pourtant, cette fois, il le laissa suspendu derrière la porte de sa chambre. Sa mère, le cœur en charpie, allait le serrer contre sa joue en essayant d'y ressentir la chaleur des mains de Dominique. À la fin de la guerre, Mme Lavenant, minée de chagrin, rendit l'âme en apprenant que Dominique avait péri sur la route qui le ramenait du camp de concentration. Auparavant, elle avait connu la terrible épreuve de l'exil, et c'est sur un champ, près de Montauban, que des soldats dont elle ne reconnaissait pas l'uniforme lui arrachèrent des mains l'appareil photo de son fils. Le soldat qui s'était approprié le Kodak ne faisait que son devoir, il avait pour mission de surveiller les paysans français. Il appartenait à la Wehrmacht, n'avait que dix-neuf ans et avait été parachuté dans le val sans autre instruction que «surveiller... surveiller...». Le jeune soldat estima que si aux rapports verbaux et écrits il pouvait adjoindre quelques photos, ses supérieurs seraient contents. Il fallait particulièrement découvrir qui, parmi les habitants du petit village, venait nourrir le bataillon de tirailleurs algériens perdus dans le bois.

Le jeune Allemand et ses camarades usaient leurs nerfs à guetter les ombres, scruter les traces, monter la garde... C'est ainsi qu'un soir de pleine lune, il s'éloigna de la patrouille, s'endormit, épuisé, dans une meule de foin. L'Allemand avait poussé l'imprudence jusqu'à enlever ses chaussures. De temps à autre, son visage tressaillait au bruit des détonations qui parvenaient jusqu'à lui.

Un tirailleur le trouva là, étendu, la bouche ouverte, le secoua par l'épaule pour le réveiller et le faire prisonnier. Soudain l'air de la nuit se déchira, les détonations se rapprochèrent, le corps du jeune Allemand fit un soubresaut, comme s'il allait se réveiller, et se raidit. Le tirailleur s'effondra sur lui, il venait d'être blessé à l'épaule. Il n'avait pas tiré, mais les cheveux blonds de l'Allemand étaient tachés de sang. La bataille faisait rage. Les obus pleuvaient. Les corps de l'Allemand et de l'Algérien étaient étendus, l'un près de l'autre.

L'Algérien eut la vie sauve. On lui remit l'appareil photo de l'Allemand... Ainsi une fois chez lui, après la guerre, Amar s'amusa à photographier sa femme et ses enfants avec l'appareil de Dominique Lavenant. Il ne s'en sépara qu'à sa mort. On l'enterra dans le cimetière musulman de Batna et son fils aîné, qui s'apprêtait à rejoindre le maquis du Front de Libération Nationale, prit l'appareil photo en souvenir de son père. Il le portait en bandoulière quand la Légion étrangère le fit prisonnier. Le légionnaire

Max Ezelmann, Polonais d'origine autrichienne ou allemande, s'était engagé pour aller combattre en Indochine, puis en Algérie, un amour malheureux pour une femme qui lui avait préféré un riche patron d'usine. Avec ce Kodak confisqué, il espérait à son tour faire fortune grâce à la guerre et aux photos qu'il ferait et que lui achèteraient les magazines du monde entier.

Après l'Algérie, Ezelmann prit l'avion pour l'Amérique du Sud où, disait-on, l'aventure peut se vivre au présent. Il aboutit dans l'île de Pâques, là où les indigènes chantent les lèvres des femmes et les fleurs des arbres. Toujours accompagné du Kodak de Dominique Lavenant, il photographia des défilés militaires et des statues aux «yeux qui regardent la mer...» Puis il trouva la mort dans un accrochage contre les guerrilleros. José, un jeune Urugayen aux yeux d'Indien trouva près de son corps l'appareil photo qu'il s'empressa de remettre à Daphné, une Française de grande famille qui était là par idéal et pour l'amour de José. Après avoir attendu en vain José après une mission, Daphné décida de rentrer à Londres. Daphné était la sœur de Françoise. Françoise ne parlait que de son amour de Florence. Daphné, les larmes aux yeux, offrit à sa sœur l'appareil photo, «pour ne pas avoir de souvenirs», disait-elle.

Au dos de l'appareil, Daphné découvrit, gravée à la pointe fine, la même signature qui figurait sur la photo de mariage de ses parents. Mais lisible, cette fois. Par quel miracle, s'interrogèrent les deux sœurs, l'appareil photo de leur oncle Dominique Lavenant leur était-il parvenu?

Comme dans un miroir

Québec! Porte numéro 20, départ dans cinq minutes! La voix répéta le message en anglais. On se serait cru à la soirée du hockey, quand annonceurs et commentateurs débitent des mots d'une voix hachée, dans les deux langues, comme des robots.

Steve balança son gros sac de cuir sur son épaule et commença à faire les cent pas en attendant que le chauffeur vienne prendre les tickets. Il avait avalé à la hâte un copieux petit déjeuner — œufs, toasts, café, et même deux cafés, pour ne pas s'endormir en route. Il se sentait chez lui dans les gares et les aéroports. Il avait passé sa jeunesse à sillonner les routes des États-Unis et du Nouveau-Mexique. Il avait même, en compagnie de toute une troupe, poussé l'aventure jusqu'en Amérique du Sud, mais la chaleur, les maladies et les langues étrangères ne lui avaient pas laissé de son séjour le meilleur des souvenirs. Il osait à peine s'avouer maintenant qu'il s'était toujours plu en compagnie de Gary, son frère jumeau. Ils avaient tout fait ensemble et s'étaient, bien sûr, beaucoup amusés de la confusion des autres: il était pratiquement impossible de les différencier.

Depuis quand Gary avait-il commencé à le remplacer auprès des filles? Et si Jessica n'était pas la première?

— Excusez, billets, s'il vous plaît.

Steve regarda le bonhomme: un moustachu aux cheveux roux, au regard gentil. Il était monté dans l'autobus sans même s'en rendre compte, et comme d'habitude, il avait choisi une place auprès de la fenêtre. Absorbé dans ses réflexions sur son frère jumeau, il dut faire un effort pour décontracter ses mâchoires. «Québec», se dit-il, mais il avait renoncé après bien des efforts à prononcer comme les francophones. En fait, quand il était fatigué, il n'essayait même plus de comprendre les Québécois. Il s'était habitué au ronronnement de cette langue étrangère pleine de *u* pointus qu'il prononçait *ou* et des *r* qui grattent la gorge. Il avait, pendant toute son enfance et sa jeunesse, pensé que le meilleur anglais au monde était celui du district de Colombia et que la côte est des États-Unis dictait les bons usages de la planète. Il faisait partie des Américains positivistes, optimistes et dynamiques, convaincus que la valeur d'un homme dépend de sa volonté et qu'il n'est de meilleur juge que soi-même. Ses voyages avaient tempéré un peu ses idées sur le sujet, mais il n'en restait pas moins persuadé que chaque problème a sa solution et qu'il est important d'agir, le reste étant complications de psychiatre et rêveries de poète.

C'est ainsi qu'il avait fondé avec Gary cette maison de production où ils travaillaient dur pour sortir un maximum de films chaque année. Ils avaient investi tout ce qu'ils possédaient, malgré l'avis de l'oncle Ted qui croyait, lui, aux actions des compagnies minières et au jeu de la bourse. Gary et lui étaient interchangeables à la caméra comme à la salle de montage, ou dans les bureaux des gérants de banque, pour les emprunts. D'ailleurs, il y avait belle lurette que leurs familiers, découragés d'avoir à les différencier l'un de l'autre, les avaient surnommés, G. S., pour Gary et Steve... — eux répondaient, indifféremment.

«Quand même, songea Steve, pas avec les filles.» Il regardait la route grise de Québec qui s'allongeait entre les vastes étendues glacées, les arbres où la neige molle du matin s'accrochait, les fleurissant de blanc. C'était un panorama splendide. Il n'avait encore jamais vu de paysage aux lignes si pures et se demandait quel genre de pellicule pourrait rendre le mauve rosé et le scintillement des cristaux de glace.

Steve cherchait à oublier Gary et Jessica, mais leur présence en lui revenait comme un mal de dents, une douleur infectieuse qui n'était que le symptôme d'un mal plus grand. Il ressentait des étourdissements fiévreux et se fâcha contre lui-même quand il se rendit compte qu'il tenait encore à la main le gobelet dans lequel il avait bu son dernier café. Il l'écrasa dans sa paume charnue d'amateur d'arts martiaux. «Je vais lui casser la gueule, pensa-t-il, *son of a bitch*...» Il n'osait pas s'avouer qu'en réalité, ce qu'il voulait, c'était exterminer ce frère, effacer de la surface de la terre ce double qui lui échappait maintenant, ce compagnon de toujours qui le fuyait, comme une ombre quitte le corps qui la projette. C'était la première fois qu'il se sentait distinct de son jumeau, et cette sensation le terrifiait et le consolait en même temps. Il aimait l'idée qu'ils aient pu partager les mêmes femmes, mais pas ainsi, pas d'une manière aussi évidente et surtout pas comme Gary l'avait fait, seul, sans complicité. Gary avait tout simplement quitté le studio l'après-midi en laissant un mot: «Désolé, vieux, je pars avec Jessica faire du ski à Québec. Je suis trop fatigué pour continuer à produire.»

Mais il ne disait pas quand ils reviendraient, s'il avait l'intention de garder Jessica pour toujours, si leur association en tant que frères était terminée. Quand Steve avait lu le mot, il était devenu fou de rage, il n'avait pris que le sac de cuir qui lui servait normalement pour ses courts déplacements et avait réservé une place dans le premier avion disponible. Il avait couru comme un fou. Il ne savait pas qu'il devait atterrir à Montréal au lieu de Québec, alors d'autobus en taxi, le temps filait et il était arrivé à la station Berri, d'où il avait pris ce gros autobus surchauffé, aux vitres bleues, qui roulait maintenant sur l'autoroute à travers un paysage interplanétaire.

Il ne sait pas qu'il aura à refaire le trajet dans la même journée, tout à l'heure, après que la gérante de l'hôtel lui aura dit dans un anglais approximatif fortement teinté d'accent français, que son frère est reparti pour Montréal, que la dame, de son côté, a hélé un taxi, parlant de prendre l'avion...

Steve s'empêchait de dormir, ses pensées tournaient à une vitesse folle. Il était écœuré, découragé, fatigué aussi, Gary avait raison: «Fatigué de la production.» Ils avaient travaillé comme des automates. Des films, encore des films, des budgets, des échéances à rencontrer, des emprunts à négocier, les maisons de production, la compétition, les festivals... De quoi faire une dépression.

Arrivé à la station Berri-de Montigny, Steve se dit que le moyen le plus rapide de rejoindre son frère au Hilton, où il devait s'arrêter, serait de prendre le métro. Il courait depuis quelques minutes quand il vit la foule agglutinée en haut de la station. Les gens se pressaient pour regarder quelque chose en faisant des commentaires; certains avaient des yeux effrayés, exorbités, pleins de larmes, d'autres portaient une main à leur bouche. Steve se pencha mais ne vit rien. Il descendit en courant dans l'escalier mécanique: le métro était arrêté et des deux côtés de la voie, la foule était massée, compacte. Des hommes s'affairaient avec des câbles et ce qui lui sembla être d'énormes ventouses en caoutchouc. Des policiers incitaient les gens à circuler, particulièrement nerveux. Avait-il vu quelque chose? Steve comprit alors que quelqu'un avait dû se jeter sous la rame. Il était sur le quai opposé, là où la foule était moins dense. Il s'approcha un peu plus du train immobilisé et se pencha. Une violente nausée le saisit: il se vit *lui-même*, le visage tuméfié, les yeux encore ouverts, loin de son corps, comme dans un miroir. Il se regardait hébété, puis comprit enfin qu'il regardait son frère, son jumeau Gary, sans en être tout à fait sûr, il reprit à nouveau l'escalier. Il avait besoin d'air, se précipita vers la sortie, sans s'arrêter. Enjamber une valise... Le trottoir... Il n'eut pas le temps d'éviter une Chrysler noire qui débouchait, à sa gauche. Il ressentit une forte douleur contre sa hanche puis se vit voler par-dessus le capot.

L'oiseau foudre

Jean et Judith se levèrent tôt. La journée serait décisive: il fallait obtenir l'autorisation du chef pour fouiller le golfe, car Jean en était sûr maintenant, le vaisseau français était là, couché sur le sable au fond de l'eau.

Les discussions durèrent toute la matinée, les Indiens acceptaient que l'on fasse les recherches à condition que la main-d'œuvre soit engagée sur place. Le gouvernement fédéral avait déjà payé pour la formation de jeunes plongeurs micmacs.

Jean et sa femme entreprirent de s'installer plus confortablement dans leur maison, car les recherches allaient durer longtemps. Lui savait que ses journées seraient prises entre le soleil et l'eau et que la fièvre de la recherche ne le lâcherait que le soir, quand, épuisé, il tomberait enfin dans un sommeil profond. Quand à Judith, elle se demandait à quoi elle pourrait bien occuper son temps. Elle avait du mal à comprendre les Indiens; elle avait pourtant passé de nombreuses heures à la bibliothèque pour compiler des documents historiques et commençait même à dire certains mots dans leur langue. Elle attirait d'ailleurs les enfants en leur interprétant, accompagnée de sa guitare, des chansons de leur propre folklore.

Pendant des semaines, le couple mena cette existence un peu irréelle dans la réserve. Deux étrangers transplantés dans un milieu plus indifférent qu'hostile. L'activité de la communauté s'était centrée sur le vaisseau, immense fantôme gisant au fond de l'eau et soudain devenu présent, arraché par les plongeurs à trois cents ans de sommeil et d'oubli. Chaque soir, Judith et les enfants du village couraient vers la plage pour y admirer les objets anciens recouverts d'algues que les plongeurs avaient ramenés à la surface et que Jean examinait religieusement.

Les ouvrages d'histoires rapportaient que les Français, acculés au creux du golfe par les navires de la flotte anglaise, s'étaient sabordés eux-mêmes. Les survivants du naufrage avaient fui dans les terres et s'étaient mêlés aux Micmacs. Un jour que Judith se promenait seule, en dehors du village, elle vit soudain un des jeunes plongeurs, Edward. Edward avait jadis quitté la réserve pour travailler en ville et revenait régulièrement parmi les siens. Elle l'avait déjà aperçu, au village, il avait le regard dense et le pas léger de ses ancêtres. Il l'avait souvent dévisagée comme un homme, d'une façon presque autoritaire. Maintenant, sous ce ciel de plomb, face à lui, elle était abasourdie. Ils restèrent longtemps ainsi à se regarder, sans parler, comme s'ils se jaugeaient, évaluaient leurs réactions possibles. Il la prit par les épaules et l'embrassa. Elle eut le sentiment de l'inévitable...

Leurs escapades devinrent familières, ils se retrouvaient à l'écart de la réserve, soit pour gagner le large en canot, soit pour marcher dans le bois où il lui montrait les pièges qu'il tendait pour la chasse. Il lui fit connaître des plantes dont il savait le secret, comme ces asclépiades dont les sommités fleuries sont comestibles et qui prennent des tons de vieux rose quand l'été s'achève.

Judith assistait admirative à ce dialogue secret entre l'homme et la nature; à travers lui, le paysage devenait plus familier, plus accueillant. Edward s'amusait parfois à faire jaillir des étincelles en frottant deux silex, et il lui racontait que chaque fois que l'oiseau foudre tuait un arbre, il en pleurait, et ses larmes devenaient des «pierres de feu» qui font des étincelles. Il lui disait aussi: «Nous deux, c'est comme ces pierres, quand on se touche, ça fait du feu, de la lumière.»

Elle riait, les trouvait beaux, lui et son monde étrange. À ses côtés, elle sortait du quotidien, du monde des *autres*. Petit garçon, il rêvait de piloter des avions; il a fini comme la plupart des Indiens, en travaillant à la construction des ponts...

— Je repartirai en ville, je te volerai à Jean, ajoutait-il.

Elle riait encore, n'y croyait pas; elle n'osait imaginer l'avenir et se contentait d'être heureuse, sa main blottie dans la grande main d'Edward. Elle ne se sentait même pas coupable. Jean aimait son vieux vaisseau immergé et elle, ce jeune Indien qui savait ce qu'elle ignorait.

Le soleil tapait dur, Judith revenait d'une longue promenade avec Edward. Ils se séparaient longtemps avant d'arriver à la réserve et y pénétraient par des chemins séparés. Un enfant vint en courant au-devant d'elle:

— Vite, vite... Sur la plage...

Elle le suivit sans affolement. Elle ramassait tout son sang-froid comme pour se protéger du choc qu'elle appréhendait. Jean était étendu sur la grève. Mort. Il était resté trop longtemps en immersion. Sa passion pour l'épave avait été plus forte que son instinct de survie... À moins que... Savait-il pour Edward? D'ailleurs, il était là, Edward, avec ses larges épaules brunes. Ils échangèrent un long regard. Il avait encore à la main les silex, «les larmes de l'oiseau foudre, ces pierres mortes qui enfantent la lumière». Puis elle revit Jean, le matin, l'embrassant sur le front et lui disant: «Sois heureuse, prends soin de toi.»

Elle sentit son cœur se déchirer et tourna le dos à Edward, s'en retournant d'un air las vers la maison.

Au mitan de l'amour: plan de coupe

La rue se vidait du grouillement précis des passants et des voitures. Elle s'étalait en bas comme une rivière sombre où se noyaient les soleils multiples des réverbères mouillés de pluie. Johanne soulevait le rideau de dentelle. Elle guettait quelque chose, une ombre, un signe. Elle se concentrait, n'entendait que le souffle régulier de sa respiration et le ronronnement de l'horloge électrique derrière elle, son léger claquement quand les chiffres changent, marquant imperturbablement les minutes, les secondes, comme pour l'éternité. Elle éprouvait une vertigineuse sensation de vide et perdait la notion du temps. Il lui semblait qu'elle était venue au monde debout, près de cette fenêtre où son haleine faisait des nuages de buée, pendant que le froid lui engourdissait progressivement les pieds.

Elle avait souvent guetté ainsi un pas d'homme, une sonnerie de téléphone, un cataclysme, quelque chose enfin qui l'aurait sortie de l'espace gelé qui précédait les grands bouleversements de sa vie. Elle attendit encore un peu, puis sa main glissa nonchalamment le long des rideaux où les fleurs de coton faisaient de petites protubérances rugueuses et se dirigea comme une somnambule vers le fauteuil à côté du téléphone noir. Johanne composa un numéro; le grésillement des chiffres qui tournent lui donna le vertige.

— Est-ce que je te réveille? Non? Ben... J'arrive tout de suite, dit-elle avant de raccrocher.

Elle retourna à sa chambre, esquissa quelques gestes vers le rideau, puis se ravisa et décida de se vêtir. La robe de chambre rose tomba à ses pieds faisant le dos rond tel un animal endormi dans la pénombre. Puis, avec des gestes de plus en plus précis, elle ajusta sa jupe et glissa ses pieds nus dans des bottillons bruns; le contact de cuir froid sur ses orteils la fit frissonner. Elle tourna enfin l'interrupteur puis, passant sa main dans les cheveux, elle constata le désordre: le lit avec les draps en boule, les vêtements épars. Elle prit un chandail de mohair gris et y enfouit son visage en sanglotant.

Sortir en pleine nuit l'ennuyait, mais pour une fois elle se sentait la force de vaincre sa peur à l'idée de se retrouver seule dans le parking désert et de conduire sous la pluie. Bientôt, dehors, il n'y aura plus un humain sur les trottoirs, seulement de grandes files de voitures avec leurs lumières rouges et blanches, monstres préhistoriques aux yeux multiples et à la respiration mécanique.

Elle glissa la clé de contact et fit ronronner le moteur. Au loin, un camion déchira la nuit d'un long faisceau lumineux. Elle se souvint comment, en Europe, Samy tempêtait contre les phares blancs des Américains, et elle qui riait et lui qui se fâchait, avec son accent germanique.

— Entre, il fait frais...

Elle poussa la porte, le salon baignait dans une douce clarté qui tombait de la lampe de cuivre style western et qui déployait un large halo sur le désordre de papiers, de pots remplis de crayons et du râtelier hérissé de pipes de toutes sortes. De l'autre côté, l'eau de la piscine intérieure miroitait en dégageant une légère odeur de chlore. Près de la fenêtre enfin, à côté de l'immense cheminée au manteau de marbre gris, se dressait un chevalet avec une toile inachevée représentant les gorges d'El-Kantara, le colossal canyon de granit rose qui s'ouvre sur le désert du Sahara, dans l'Est algérien. Une série de toiles terminées s'alignaient par terre, le long du mur de briques rousses. Elles représentaient le même thème, comme si, fasciné, l'artiste était resté là, bloqué devant ces rochers, hésitant entre le nord de verdure et de villes bruyantes, et le sud, mer de sable au silence envoûtant, au paysage inondé de lumière, brûlé de soleil.

— J'ai cru que je n'arriverais jamais, dit-elle en laissant tomber sa pelisse de popeline doublée de renard roux.

— J'aurais dû venir te chercher, répondit-il à voix basse, mais tu ne m'as pas laissé le temps, tu as raccroché trop vite.

— Ça va bien?

— Je ne me sentais pas bien. La route m'a paru longue, j'ai cru que j'allais verser dans ce maudit ravin, je ne sais combien de fois. Ils n'ont pas trouvé le moyen de tracer des routes plus larges, comme si la colline était indestructible.

Elle dit ces mots d'une voix qui devenait de plus en plus aiguë, trahissant son émotion; ce n'était plus le moment de crâner, et elle enfouit son visage au creux de l'épaule de l'homme, comme s'ils ne s'étaient jamais quittés, elle retrouvait sa chaleur, son parfum citronné, la palpitation des veines sous la peau. Sans pleurer vraiment, elle s'abandonnait tout simplement, comme si ses ressorts venaient de la lâcher. Il l'entraîna près de la cheminée.

— Installe-toi, je vais faire du feu, dit-il en se penchant pour allumer la grosse lampe sur le buffet sombre. Il froissa des feuillets de papier journal, y installa des bûchettes, puis de gros rondins de bois sec, la flamme jaillit de son briquet, se mit à trembloter le long du papier et du bois. La résine bouillonnait par petites flaques odorantes.

— Ça sent bon, dit-elle dans un soupir.

C'était toujours une fête que d'allumer un feu, un antidote contre la grisaille de l'automne, symphonie après les longs jours de silence. Elle se fondait dans le mouvement et la lumière des flammes. Ils se taisaient. Ils se comprenaient sans parler. Lui, ne pouvait s'empêcher avec bonheur de constater qu'elle était venue se réfugier chez lui, parce qu'elle venait de vivre quelque chose d'important. Mais il ne voulait pas la brusquer ni la questionner, il était un peu anxieux, malgré tout. Elle allongea ses longues jambes de danseuse et alluma une cigarette.

— Il me semble qu'il y a des siècles qu'on ne s'est pas vus, dit-elle enfin.

— Dix ans, dit-il, gravement.

Il évita de la regarder, sans doute craignait-il que son regard ne trahisse ce que ces années avaient représenté pour lui. Dix ans, déjà. Il s'étaient battus, humiliés, déchirés, sans jamais parvenir à comprendre ce qui déclenchait entre eux de tels accès de rage, de colère et de chagrin. Il avait commencé par être jaloux du moindre regard qu'elle posait sur les autres hommes, puis de la manière de mener sa vie, de ses talents, de la facilité avec laquelle elle abordait l'existence; dans une indifférence joyeuse. Elle voyageait pour ses concerts à l'autre bout de la terre, hantait les pages des magazines avec son sourire à dévorer le monde, et lui, il s'était passionné pour les affaires, avait joué à la bourse comme on joue à la roulette russe. Il s'était jeté comme un désespéré sur les pentes neigeuses du Colorado, la rage au cœur et au corps, jusqu'à ce que l'épuisement et le froid apportent leur bienfaisante anesthésie. Il avait fréquenté les mauvais quartiers des grandes métropoles d'Europe et d'Amérique, puis avait échoué à cette halte dans le désert du Sahara dont il avait fixé les traces mouvantes et dorées sur des toiles. Le silence et la paix, autour de lui. Elle, elle n'avait pas compris ou pas voulu comprendre, après la millième tentative d'explication et des déchirements passionnels résumés en ces petites phrases coupantes et vives qui lacèrent le cœur et ternissent les regards, elle s'était éloignée de lui, tout simplement, et peut-être parce qu'elle sentait qu'à travers elle, il poursuivait une sorte de quête possessive, un goût de domination auxquels elle ne pouvait répondre sans être détruite. L'un et l'autre s'étaient quittés comme on oublie un rêve, pour avoir moins mal.

Au dernier tournage d'un film, elle avait rencontré Harold, un écologiste un peu sonné qui lui faisait visiter les musées et découvrir les concerts en prenant des poses wagnériennes et des accents romantiques. Puis elle était rentrée chez elle à court d'argent et de souffle. Les premières rides de la trentaine l'avaient alarmée, elle avait voulu revoir le mari dont elle était séparée sans que jamais aucun d'eux n'ait pensé à demander le divorce.

Ben, partagé entre la gestion de son portefeuille et la peinture, vendait ses toiles à gros prix, voyageant entre la vieille ferme qu'il avait fait restaurer dans les Laurentides et sa villa juchée sur le flanc du Laurel Canyon à Los Angeles. Il avait toujours préféré les paysages vallonneux, tourmentés, les montagnes impressionnantes. Il avait tracé lui-même les plans de cet étrange salon avec piscine et cheminée au rez-de-chaussée, de même que les deux chambres du premier étage aux murs vitrés comme des aquariums, parce que le peintre ne voulait pas rater les levers de soleil sur la forêt.

Il revint de la cuisine avec une grosse cocotte d'argile.

— Je l'ai fait moi-même, dit-il, de l'agneau et des pleurotes.

Elle sourit. Elle s'était toujours moquée de ses traditions d'immigrant fasciné par les nourritures terrestres.

— Parce que c'est un art de vivre, disait-il.

— Parce que vous en avez manqué pendant vos guerres, répliquait-elle sans gentillesse.

Les souvenirs affluaient, nuit fraîche après la canicule. Elle aussi, elle était allée se brûler le cœur dans des amours agitées, et elle revenait pourtant près de lui. Elle regardait cet homme grand et mince, presque fragile, avec ses yeux fendus vers les tempes comme ceux d'un animal des bois, ses cheveux noirs et droits parcourus de longues mèches blanches.

Il vint s'asseoir près d'elle, elle s'allongea sur le divan en se blottissant dans ses bras comme une enfant, il la regarda enfin, son visage était contracté, elle semblait faire un terrible effort pour contenir ses émotions.

— Ils allaient photographier des lacs, pour dénoncer la pollution, dit-elle. Il était tellement angoissé par les menaces qui pèsent sur la vie...

Elle parlait comme on délire, en s'endormant. Il essayait de comprendre ce qu'elle voulait dire, il sentait qu'elle était écrasée de chagrin, puis son regard se posa sur le journal du matin qui traînait encore près de la cheminée. Un gros titre, comme un coup de poing:

ÉCRASEMENT D'UN BIMOTEUR: DEUX ÉCOLOGISTES TUÉS

Une chanson de Brel lui revint en mémoire: «Elle a perdu des hommes, mais là elle perd l'amour.» Il regarda sa femme endormie en souhaitant qu'elle reste là, pour toujours.

La source

En marchant sur le boulevard, Asma songeait à l'homme qu'elle allait rejoindre. Dans sa tête, défilaient comme des annonces publicitaires de longs monologues: «Le temps est long jusqu'à la date fixée par toi... Tous ces mots présents dans nos vies et ce lourd désir jamais dit. Que sais-je de toi et de tes réactions à mes paroles?»

Elle arriva enfin, l'homme qui lui ouvrit la porte souriait, une petite lueur narquoise au coin de l'œil. Il prit son manteau sans se douter qu'elle pouvait l'apercevoir dans le miroir en caresser la fourrure et en humer le parfum. Il entra dans le salon. Asma s'était déjà assise dans un coin du divan. Il lui montra ses photos de voyage et en cacha subrepticement quelques-unes. Elle pensa: «Nulle présence blessante, l'aurait-il escamotée?»

Il se mit à genoux devant elle, emprisonnant la cheville d'Asma dans sa main, il la fixait intensément: «Je t'attendrai», dit-il, comme s'il avait deviné sa méfiance.

— Attendre quoi? répliqua-t-elle.

Il répéta avec beaucoup d'assurance: «J'attendrai.» Il avait deviné, il avait senti combien elle l'aimait. Elle était impressionnée par l'intuition de cet homme, sa capacité à construire des stratégies pour amener les gens dans son monde, les forcer à faire et à dire ce qu'il attendait d'eux. Il lisait en elle, dans sa transparence. Elle pensa avec inquiétude au début de poème qu'elle avait tracé et qu'elle avait laissé dans la poche de son manteau. L'avait-il senti en touchant au vêtement?

> L'amie va à l'ami comme le mot va à la lèvre,
> Le printemps au cœur du bourgeon et la mer au rivage.
> L'amour va à l'amour comme le papillon au feu
> et la lumière à l'étoile.
> La fièvre enflamme le corps dans la longue attente
> du geste qui libère.

Il libéra sa cheville et lui servit un verre d'eau au goût étrange. Elle pensa, *c'est un philtre*. Elle but jusqu'au bout, envoûtée, prête à tout, même à vaincre sa peur. Elle l'observa attentivement; ses yeux clairs étaient d'une exceptionnelle douceur, simplement traversée de temps à autre par un éclat métallique semblable à une lame froide et tranchante. Elle se pencha vers lui; il s'esquiva, prit ses mains, les embrassa doucement et lui dit d'une voix sourde: «Prenons le temps.» Elle le fixa d'un air interrogateur. Il se leva brusquement, alla vers la fenêtre et revint vers elle: «Prenons le temps», répéta-t-il. Elle ne comprenait pas. Il paraissait si seul, perdu dans son passé. Encore une fois, comme s'il venait de lire dans ses pensées, il dit, très vite:

— Ma femme vient de tuer ma maîtresse avec son auto. Elle est à l'hôpital, on ne sait pas si elle va survivre, personne n'est au courant, personne d'autre que moi... Maintenant, tu sais.

Elle ne dit rien, ferma les yeux, sa tête tournait comme si on venait de lui injecter un anesthésique. Elle se demanda si elle pourrait se réveiller un jour... Elle devrait présenter cet homme à son amie Caro, psychiatre... Puis elle aperçut une source au fond des bois et perdit connaissance.

Le mur

Elle écrivait... Dans sa tête, des mots, des couleurs, des musiques se déployaient, grands serpents ailés sous le soleil. Des oiseaux mythiques prenaient leur envol. Le monde renaissait et l'ordre du signe unique devenait la source des phrases et du texte qui s'agençait dans un désordre primitif, sauvage, baroque.

Elle débutait souvent par: «Je suis née à...» Et suivaient les premiers bégaiements de l'écriture. Elle imaginait une ville solidement bétonnée dans un ailleurs brumeux et savait d'avance qu'il lui faudrait beaucoup de signes et de lettres pour dire l'opacité du brouillard et sa mouvance. Entre l'image mentale et l'accent tracé, l'univers se faisait et se défaisait autrement, idéogramme réduit, brisé, rejoignant d'autres imaginations et d'autres brouillards parfumés de lilas.

Une autre page, encore une ville différente surgissait derrière les paupières légèrement entrouvertes: une cité écrasée de soleil, étouffée par les plantes envahissantes et peuplée d'hommes et de femmes; meubles sculptures sombres sur le sable ocre. Et l'image changeait de nouveau; une longue avenue bordée de platanes qui échouait sur une place où la déesse de bronze assise dans son char veille sur Madrid, la cité où se faufilent encore les silhouettes andalouses. Madame Day savait qu'elle n'écrirait jamais que pour elle-même, toutes les images, les visions, les cauchemars, les complots que son imagination faisait affleurer à la surface de sa conscience, un peu comme les bulles d'air qui viennent crever à la surface de l'eau...

Un jour, en rentrant chez elle après une dure nuit de garde à l'hôpital où elle exerçait la prestigieuse fonction de psychiatre, Mme Day savourait le charme tranquille de la ville endormie. Les poubelles n'avaient pas été enlevées, il y avait une petite brise qui sentait la marée... Elle savait qu'elle allait le retrouver, lui, très vite, l'homme qui avait bouleversé sa vie. Elle le retrouverait, ils échangeraient quelques mots, il lui dirait encore une fois: «Il faut en finir.» Elle le jugerait froidement et tout continuerait comme auparavant. Tout, même la bibliothèque le long du mur, celle qui contenait des livres pareillement reliés et numérotés, et qui étaient tous blancs, à l'exception de la première page où elle avait inscrit un titre: *Le rendez-vous manqué* et la dernière page, où elle avait tracé rapidement: *C'était un si bel amour.*

Elle avait passé sa jeunesse à étudier dans la solitude, affrontant ses examens face aux «vieilles barbes», comme elle surnommait ses professeurs. Elle avait usé d'intelligence et de séduction pour arriver enfin à ce jour, ce jour où elle avait pu écrire sur sa carte de visite: C. Day, psychiatre. Elle avait cru sortir enfin de la terrible solitude dans laquelle elle s'était emmurée; toutes ses énergies, tout son être s'étaient concentrés sur cette unique obsession: devenir médecin.

Madame Day avait voyagé seule, de ville en ville, s'arrêtant dans des hôtels où elle finissait par s'enfermer dans sa chambre, évitant de parler à quiconque. Elle marchait tout le jour, visitant magasins et musées, observant les gens pour s'abandonner enfin, épuisée, devant une table de restaurant ou sur le lit de sa chambre d'hôtel. Loin des humains, absente. Les paysages et les villes se confondaient dans sa tête, devenaient une même et immense mégalopole grouillante de vie et d'ennui, mais vaste, profonde comme le désert où l'on peut promener sa solitude et assumer sa liberté.

Elle n'avait jamais vécu avec un homme, ni aimé personne, jusqu'à ce jour de printemps, quand la rue se mit à sentir le lilas. Caroline se dit qu'elle avait maintenant les moyens d'avoir un enfant et que ce serait bien, un homme, ne serait-ce qu'une nuit, pour l'enfant et pour le souvenir.

Alors, elle était rentrée chez elle avec lui. Il était médecin aussi, il était venu participer au dernier congrès de psychiatrie. Il repartirait ensuite vers son pays, son bureau, sa clientèle, sa famille, peut-être... Elle l'avait trouvé beau et lui, pendant toute la semaine, il lui avait fait du charme. Il était fasciné par ses yeux immenses et fixes. Froids et verts, comme les eaux d'un lac nordique. Il l'avait séduite, suivie, puis...

Caroline ne voulait plus y penser... Elle caressa son ventre qui s'arrondissait. Elle eut un petit sourire. À l'hôpital où elle travaillait le matin, elle avait remarqué les regards attendris sur son passage, et même les plus perturbés de ses patients, les plus absents semblaient tenir compte de son état. Ils la regardaient autrement...

Elle était rentrée avec lui et, doucement, insidieusement, l'angoisse se mit à lui nouer la gorge, les images terribles ressurgissaient dans son cerveau affolé, la terreur la gagnait. Elle s'efforçait de n'en rien laisser paraître. Elle ne savait plus pourquoi cet étranger se trouvait là, assis chez elle à siroter un verre, elle n'en voulait plus. Elle avait trop peur. Et lui, impatient, fatigué, l'avait plaquée sur le divan, fermement, et l'avait prise. Elle ne se souvenait plus de ce qu'elle avait éprouvé, elle se souvenait seulement d'un souffle, de son souffle à lui. Il s'était endormi... Alors, calmement, elle s'était dirigée vers la salle de bains, des larmes froides coulaient le long de ses joues, impossible de les retenir. Combien de temps avait-elle fouillé dans son sac, dans ses papiers, dans sa petite trousse d'urgence?

Elle revint vers lui. Il ronflait. Doucement, elle lui piqua le dos de la main, il fit un petit mouvement mais continua de dormir. Maintenant que son bras était anesthésié, elle pouvait lui placer le garrot, trouver la veine et y faire une injection sans qu'il bouge ou fasse autre chose que grogner.

Elle l'emporta dans la petite chambre capitonnée où l'ancien locataire enregistrait sa musique. Elle maintint l'homme dans cet état, le temps de *faire le nécessaire*. Elle appela le maçon pour qu'il termine la garde-robe. «Laissez une petite porte. Juste assez grande pour que je puisse entrer chercher le linge.» Il la regarda, un peu surpris: «Ce que femme veut...» Bêtement. L'homme dormait toujours, elle lui tâta le pouls pour s'assurer que l'anesthésie était efficace.

Elle finit par le traîner vers la garde-robe et avant qu'il ne se réveille, entreprit avec ce qu'il restait de matériaux de murer la porte, n'y laissant qu'une fenêtre assez grande pour y glisser le bras. La garde-robe était large d'un mètre, longue de trois. L'homme ne pouvait se coucher que dans un sens, parallèlement à la lucarne qui lui permettrait, à elle, de le voir et de lui parler. Elle y avait installé un matelas, des couvertures, tout ce qui est nécessaire à un certain confort. Elle se massa la nuque, la fatigue lui tirait le dos. Elle avait dû faire vite.

Quand il se réveilla enfin, il eut beau menacer, supplier, rien n'y fit. Elle lui achemina la nourriture par la fenêtre et l'avertit: «Mon bureau est à l'hôpital et personne d'autre que moi ne vient ici. Personne ne vous entendra.» Les jours qui suivirent confirmèrent cette affirmation. Lui se résigna et se surprit même à être heureux quand elle rentrait, il pouvait la voir évoluer devant lui, son ventre s'arrondissait, et sa démarche se faisait lente. Vaincre l'indifférence de cette femme était la seule chose qui le tourmentait.

— Vous êtes psychotique, vous devriez vous faire examiner, pour vous et pour l'enfant. Je suis sincèrement désolé de ce qui est arrivé. Mais vous devriez comprendre... Que puis-je faire pour que vous me pardonniez?

Elle ne répondait pas, absente. Il se sentait devenir fou à son tour et finit par ne plus répéter que cette simple phrase: «Vous ne me pardonnerez donc jamais?»

Au début, elle lui répondait d'une voix monocorde: «C'était un si bel amour.» Comme il avait essayé de lui faire prendre conscience que cet amour n'avait jamais existé que dans sa tête, elle finit par ne plus répondre tout en faisant ses gestes, mécaniquement, sans se tromper. Il guettait dans les yeux de sa geôlière une lueur de raison, une petite flamme de vie, comme on attend le printemps. Ou la mort. Un jour, elle dit, enfin: «J'ai quelque chose pour vous.»

Elle lui donna plusieurs dizaines de boîtes qu'il ouvrit en tremblant. Chacune d'elles contenait deux briques, du ciment et finalement des bouteilles de plastique remplies d'eau. À son regard interrogateur, elle répondit: «Vous pourrez finir de vous emmurer de l'intérieur, si jamais, un jour je ne revenais pas. Qui sait? Voici un ouvre-boîte, des conserves et là des tranquillisants, des somnifères...»

Il crut qu'une brèche s'était ouverte dans la tête et le cœur de sa geôlière. Il lui attrapa la main, fermement, mais doucement, elle frissonna au contact de cette peau d'homme tiède et velue. «Je vous aime, assura-t-il, pour l'amour du ciel, appelez quelqu'un, que je sorte d'ici. Je vous aiderai, c'est promis.» C'était comme si elle n'entendait plus, le regard vague.

L'hiver tirait à sa fin. Il la voyait sortir avec des manteaux plus légers, et de la fenêtre d'en face, qui se trouvait à plus de cinq mètres de sa lucarne, il pouvait voir le ciel devenir plus lumineux.

Vint le jour où il la vit grimacer de douleur devant lui, elle poussait de petits gémissements, rougissait, pâlissait, les commissures de ses lèvres et le bord de ses narines prenaient une teinte diaphane, presque verte. Il la regardait sans pouvoir la secourir, il s'acharnait à frapper du poing sur le mur, désespérément. Malgré ses supplications, elle refusait de téléphoner à un médecin ou à un hôpital, comme si elle ne comprenait ou n'entendait plus.

«Je me cacherai, promettait-il, il vous suffira de pousser la bibliothèque avec votre pied, je n'existerai plus.»

Elle faisait rarement ce geste: pousser la bibliothèque montée sur roulettes. Il avait été surpris la première fois qu'elle l'avait enfermé en faisant glisser la bibliothèque devant la petite lucarne; même s'il n'avait jamais vu le meuble au complet, il l'imaginait assez imposant, d'après l'image que le miroir d'en face lui renvoyait en partie. Puis il comprit que la bibliothèque était installée sur des roues, ce qui permettait de la déplacer sans effort, mais le peu d'espace dont il disposait l'empêchait, même avec un seul bras, d'écarter de lui cet autre mur dont il ne voyait qu'un petit carré de bois veiné.

Elle accoucha sous ses yeux, sans qu'il puisse faire autre chose que tendre la main vers elle. Elle s'y agrippa et glissa vers le sol, labourant de longues griffes sanglantes le bras de l'homme qui avait bouleversé sa vie. Ensuite, du pied, elle poussa lentement la bibliothèque vers la lucarne et l'homme eut tout juste le temps de retirer son bras.

On ne sut jamais pourquoi madame Day, psychiatre compétente et jeune femme élégante, s'était laissée mourir chez elle en mettant un enfant au monde, ni pourquoi depuis ce temps-là, on entend une voix d'homme, derrière le mur de la maison, qui, la nuit venue, récite: «Tu ne me pardonneras donc jamais?»

Les gris-bleu de Passy

Odile avait longtemps cherché une chambre avant de rencontrer madame Lanthier. Celle-ci possédait une grande maison sur la rue Raynouard, dans le XVIIe, là où les limousines glissent devant des portes lourdement fermées sur des intérieurs cossus. La vieille dame avait tout de suite été très aimable: «Vous pouvez m'appeler Anne, si vous voulez», avait-elle dit, avec un léger sourire. Elle était vêtue avec recherche de beige et d'ocre, de soie et de lin, le genre de vêtement qui confère à celle qui le porte une identité de classe: riche, sans ostentation. Le charme discret. Odile, épuisée, s'était laissée tomber dans le creux du divan recouvert de velours frappé. «C'est fou comme les bourgeois aiment les couleurs éteintes.» Son regard parcourut le salon gris et bleu: tables recouvertes de marbre anthracite veiné, chargées de vases d'étain et de porcelaine contenant des fleurs séchées; chardons griffus et monnaies-du-pape; une orgie de dentelles anciennes écrues et bleu cendré. Comme si rien n'avait été touché depuis des années. Odile plongea avidement ses lèvres dans le thé à la bergamote et croqua voluptueusement un biscuit aux amandes. Elle se tenait bien droite, genoux serrés...

— Je vous devrai combien? demanda-t-elle.

Madame Lanthier leva un sourcil.

— Pour la chambre? On verra, fit-elle, rassurante. Vous pouvez y installer vos valises.

Pendant une semaine, Odile évoluait dans l'appartement avec le sentiment que toutes ces porcelaines, ces objets fragiles étaient là pour limiter ses mouvements, l'obliger à contrôler ses gestes. Sans arrêt. Elle sentit une présence dans son dos et se retourna si brusquement qu'elle frappa du revers de la main un vase ancien d'une de ces incontournables périodes chinoises. Madame Lanthier émit un petit cri à peine audible et ses yeux bleus, froids, ressemblèrent à des phares dans la nuit. «Maladroite!» souffla-t-elle enfin, et elle gifla à toute volée Odile qui sentit la douleur et le feu sur sa joue.

— Ce vase coûte une fortune!

Voyant sourdre des larmes aux yeux de la jeune fille, madame Lanthier la prit brusquement dans ses bras, l'embrassa avec fougue, lui mordit le cou et les lèvres avec passion. «Ce n'est rien, répétait-elle, le souffle court, ce n'est rien.» Odile se dégagea violemment et sans savoir comment, elle se retrouva dans la rue, courant sous la pluie, vers la Seine, le visage inondé de larmes. Elle s'assit sur la margelle d'une fontaine pour se laver le visage et les mains (pendant combien de temps?). La nuit la surprit; frissonnante, elle se résigna à regagner sa chambre, chez madame Lanthier.

Elle serra les dents en voyant pleurer l'élégante dame...

— Où étiez-vous pendant tout ce temps, dit-elle? Odile répondit sans la regarder:

— J'ai marché dans les rues.

Elles se saluèrent d'un bonsoir distant et regagnèrent leurs chambres.

Après minuit, Odile se leva sans bruit. Elle entendait par la porte entrouverte le souffle régulier de madame Lanthier, et pouvait apercevoir la lumière rouge intermittente que projetait l'enseigne du restaurant d'en face. La chambre et le désordre du lit passaient de l'obscurité presque totale à un éclairage de théâtre sur une scène tragique.

Odile s'avança doucement, tendit la main gauche vers le cou de madame Lanthier, comme pour une caresse, ses doigts glissèrent sur la peau, jusqu'à la pulsation tiède de la carotide. Elle sortit de sa poche droite le petit bistouri qu'elle avait pris le matin dans le tiroir du bureau et d'un geste vif planta la lame entre ses doigts. Madame Lanthier s'agita, mais Odile passa vivement de l'autre côté, fit le même geste vif et saisit un oreiller pour étouffer les grognements de la vieille dame.

Elle entreprit alors méthodiquement de dépecer le corps... Elle rangeait les morceaux saupoudrés de copeaux de naphtaline dans de grands sacs de plastique. Le jour commençait à poindre, elle se dépêchait, elle savait qu'il lui restait peu de temps pour distribuer les paquets ainsi faits, le long de la rue, près des poubelles. Elle essora finalement le drap qu'elle avait trempé dans du chlore presque pur et, son ménage terminé, elle sortit avec ses valises pour chercher un autre logement.

En descendant dans la rue de Passy, elle songeait encore aux murs gris-bleu de toutes ces demeures enchâssées dans la pierre, derrière des fenêtres largement ouvertes sur le jour. Odile aperçut près de l'arrêt d'autobus une femme aux cheveux auburn, elle s'en approcha pour demander la direction du Trocadéro. Quand elle fut assez près, les yeux bleus et froids de madame Lanthier la fixèrent: «Bonjour Odile», dit-elle, calmement.

Xaviera

Elle s'appelle Xaviera, un prénom de mauvais roman. J'ai admiré sa beauté, sa coquetterie. Moi qui n'ai jamais prêté attention à mes vêtements ou à la couleur de mes lèvres. Maintenant que mon visage porte les signes de la vie et que je l'arbore comme un ancien manuscrit, maintenant, je regrette toutes les années où j'aurais pu être belle. Utiliser ce pouvoir qui inspire l'attention respectueuse qui protège et réconforte. Où est donc le passé? Comment faire face, sans panique, au temps qui grignote imperturbablement mes jours? Lorsque je regarde en arrière, je vois défiler le paysage gris de mon existence.

Mais Xaviera, que pense-t-elle? Je l'observe; élégamment calée dans un fauteuil comme une actrice de cinéma qui ne quitte jamais son rôle. Des yeux de veau, sans expression, mais si savamment maquillés que la beauté s'y arrête, le temps d'un regard. Les hommes l'entourent et elle paraît si naïve! Face à elle, l'homme de ma vie m'est devenu étranger. Nos années de mariage s'étaient passées comme dans un rêve, nous nous étions résignés aux enfants que nous n'aurions jamais. John semblait heureux, nous avions de grandes discussions et jamais de querelles... Ou presque. John m'amusait avec cette légèreté des hommes qui ne savent pas vieillir et ses chansons tendres, dont cette vieille ballade irlandaise qui parle de miroir et de père absent, ses joies simples devant une fleur ou un animal. Avec lui, je retrouvais un peu de candeur, moi qui avais toujours été trop sérieuse pour mon âge.

J'ai une sorte d'angoisse. Cette soirée me paraît interminable, tous ces gens autour de nous qui boivent et rient et dansent, tout me semble sans importance. Les mains de Xaviera sur le cou de John, leurs corps qui se frôlent au rythme de cette musique assourdissante et brutale qui me déchire. Je ne pense qu'à m'en aller...

Pourquoi me suis-je endormie? Le lendemain de la fête, ma voisine et meilleure amie m'a appris combien tout le monde s'était bien amusé, combien John était drôle et dynamique, et le charme de sa complicité avec Xaviera, comme deux enfants espiègles... Je ne dis rien. John est devenu un étranger, son regard liquide et son nouveau visage de carnassier me sont inconnus. Le compagnon de ma jeunesse est mort et cet individu qui prend sa place devra mourir aussi ou s'en aller. Il parle d'indépendance, de nouveau couple et de liberté. Je ne réponds plus. La fête de nos deux corps se fait sans le mien qui reste passif, dévitalisé. Le temps passe et j'ai décidé de reprendre ma vieille manie: peindre des paysages où prédomine ce bleu cobalt que j'affectionne particulièrement. Je ne fais pas de chemins qui s'arrêtent au milieu des champs de blé, ni de tournesols, ni d'autoportraits, mais des explosions de couleurs, des éclats de lumière...

Ma charmante voisine et meilleure amie m'a révélé que Xaviera était enceinte. Xaviera, épouse d'un célèbre médecin, allait devenir maman. Et l'étranger qui est encore mon mari a depuis un an de mystérieuses absences, il ne sait pas combien ses gestes, ses regards, son corps l'ont trahi: je n'ai pas eu à fouiller ses poches pour découvrir de coûteuses factures. J'aurais aimé lui demander ce qu'il ressent d'être le papa biologique de l'enfant officiel d'un autre. Mais j'ai l'impression que lui-même s'est mis à ressembler à un fœtus flottant dans un bocal de formol.

Le compagnon de mes vingt ans est devenu monstrueux. Il cherche à savoir ce que je pense; je vais au théâtre, tous les soirs, je voulais voir et revoir Médée, la femme trahie qui détruit jusqu'à la descendance du traître... J'ai arrêté ma voiture devant la maison de Xaviera, jusqu'à l'aurore. Parfois le soleil comme un oiseau blessé laisse saigner d'éclatantes coulées d'or et de lumière sur les nuages que le vent déchire. Dans ma tête, il y a des robots qui jouent au bilboquet et de grands ouragans qui balaient des corps et des âmes. Je n'aurais jamais dû aimer ni John, ni personne.

Xaviera sort de chez elle, vers huit ou neuf heures, elle va marcher, parfois seule, parfois au bras de son mari. Son ventre grossit. Je sais que l'enfant qu'elle porte ressemble à John, lorsqu'il était mon compagnon. Ce matin, elle est sortie seule, j'ai mis la clé dans le démarreur, je l'ai suivie tout doucement, à distance, puis j'ai accéléré, juste au moment où elle traversait la rue. J'ai quitté la voiture pour m'assurer que tout était fini. Le maquillage de ses yeux avait coulé. J'ai repris la voiture et j'ai foncé vers l'autoroute, vers... Le plus loin possible, pour plonger dans le fleuve. On ne me retrouverait pas. Je ne sais pas qui m'a conduite dans cet hôpital aux murs verts comme les yeux de Xaviera...

Un jeu

«Lui faire croire qu'elle t'a rendu fou et, brusquement, la laisser tomber. Arme majeure de la séduction: inquiéter une femme sur sa capacité à retenir l'attention. Si elle n'existe que dans mon regard, voir au-delà d'elle, tout sauf elle: c'est dans la violence de l'affolement qu'elle recherchera mon attention, comme auparavant... C'est dans cette violence que je pourrai mesurer mon attachement, sa fidélité.»

Le miroir réfléchissait son regard malicieux, il sourit inconsciemment à ce qu'il appelait ses ravages, le rasoir glissa, une entaille. Vite, le bâton d'alun, ce n'était pas le moment d'arborer des cicatrices. Ce n'est pas de ma faute, si je plais aux femmes, c'est un jeu, j'ai besoin de les sentir désirantes, mais je suis honnête, je n'en profite pas. J'ai rencontré Linda dans une bibliothèque, son assurance et sa conversation me plaisent. Mon miroir me renvoie déjà les premières griffes de l'âge sur les paupières, et mes cheveux se font plus rares sur mon front — j'envisage cette calvitie naissante comme une catastrophe personnelle. Je ne saurais dire si j'ai aimé Linda, elle m'a plu, j'ai tout fait pour la rendre jalouse, la faire sortir de ses gonds, j'ai même séduit sa meilleure amie. Elle a réagi froidement et sa seule colère m'a amusé. J'avais enfin atteint mon objectif, elle n'était pas si intouchable que ça, je l'aurais voulue dépendante et docile, pour sortir avec elle. Normalité oblige. Elle semblait ne pas comprendre, et voilà qu'elle choisit le plus mauvais moment pour me dire son amour.

Je suis seul... Aux yeux des autres, mais personne ne sait rien de ma terreur devant ces jeunes garçons de la nuit dont la beauté me fascine et m'effraie, personne ne sait le respect et la déférence que j'ai pour ces hommes plus âgés et plus savants que moi. Personne ne sait et je suis seul, et cette femme qui veut que nous soyons amants. Comment pourrais-je inventer les gestes qui ne m'ont jamais été inspirés par aucune sorte de désir? Comment pourrais-je changer de nature? Entre un autre homme et moi, c'est la complicité, la gémellité, mes amis ne s'attachent pas, c'est plutôt moi qui souffre quand le sort les éloigne de moi. Dès le premier regard se dessine en moi la structure dans laquelle je veux les intégrer. Je deviens alors vigilant et jaloux. J'essaie d'avoir pour eux la tendresse d'une mère, mais la violence traverse le désir comme les orages qui brisent la quiétude de l'été. Je me condamne alors à l'isolement jusqu'à ce que me reprenne la fièvre des bars: je vais alors y dénicher l'oiseau rare pour un soir, ou pour un an. Mon enfer et mon bonheur sont ces amours cachées et fugaces, ces amours rares d'autant plus précieuses qu'elles sont réprouvées, d'autant plus désirables qu'elles me permettent d'infliger et de subir la souffrance qui apaise et réconforte.

Je ne comprendrai jamais pourquoi une voix au téléphone, tout à l'heure, m'a annoncé que Linda venait de se tuer, et que c'est de ma faute...

La folle

J'ai d'abord remarqué l'intensité du regard. Seules les folles ou les amoureuses ont ces yeux humides, fixes, lumineux. Il y avait peu de femmes à cette réunion sur la biologie et le droit. Nous étions coincés dans les grandes discussions sur le droit régissant les rapports sociaux, lequel ne se distingue pas particulièrement par son avant-gardisme... Et puis, maintenant, il fallait définir de nouvelles normes en fonction des récents développements scientifiques. À qui appartiennent les organes, à l'individu ou à la société? et le fœtus? Parler de propriété, c'est évacuer l'esprit de la matière; parler d'éthique, c'est ignorer les capacités nouvelles de l'homme à manipuler la matière. Bref, grosses discussions, et cette jeune femme au regard d'amoureuse n'était pas sotte, elle avait un curieux prénom, Safia, «Pas Sophia», précisait-elle. Nos échanges étaient intéressants. Je l'ai invitée à poursuivre la discussion, si jamais elle passait par Madrid. Pendant un mois, je reçus de curieux messages, elle était en Europe, mais je ne savais où la rejoindre, elle appelait en disant simplement: «Je rappellerai.» Ses télégrammes étaient étranges: «La Reine incendie la Cité romaine et retarde l'avance des cavaliers.» Je crus à un jeu et quand j'eus enfin son adresse, je lui répondis: «Seuls les fous du Roi ont droit aux chemins de traverse.»

Finalement, elle m'envoya un dernier message: «Rendez-vous au café Safir, Calle Flemming à Madrid.» Je l'ai aperçue sur la route poussiéreuse de San Sebastian De Los Reyes, puis elle est entrée au café Safir. Je ne sais pourquoi, j'ai envoyé un copain pour lui parler. Une sorte de jeu d'adolescent, ou la timidité peut-être... Je l'ai vue saisir son grand sac de voyage et sortir précipitamment du café, puis marcher pendant que nous la suivions avec ma voiture.

— Je lui ai demandé d'où elle venait, dit mon copain, et elle m'a répondu: «Du Nord», alors, je lui ai dit: «Ah! je comprends, du pôle nord!» C'est une vraie banquise, pas une Européenne, elle a un accent...

Je n'écoutais plus, je la regardais marcher, rapidement, puis elle a traversé la rue, sans faire attention, la voiture a freiné de justesse, le chauffeur lui criait des injures. Elle s'engouffra dans une ruelle. C'est la dernière image que je garde d'elle: ce tourbillon de lin blanc et de dentelles qui disparaît derrière un mur ocre et jaune, par un bel après-midi méditerranéen.

— Cette femme est folle, dit mon ami.

Le lendemain, nous apprîmes par la radio que le boeing qui la transportait avait explosé en vol. Je voulus relire sa lettre que j'avais froissée, et la dépliai à l'aide d'un fer à repasser tiède. Je vis apparaître, tracés à l'encre sympathique, dans une calligraphie élégante, ces mots: «Des colonnes de jaspe de Cordoue aux neiges du mont Ararat, tu ne m'as pas reconnue, du continent lové autour du Sahara, tu ne m'as pas reconnue. De Guadalajara à Oulan-Bator, tu ne m'as pas reconnue.»

Je sentis la terreur me glacer les veines. C'étaient les étapes de mon dernier voyage secret. Comment avait-elle su?

Le charmeur

Un regard miel, le geste lent et la voix voilée, veloutée... Il déployait devant elle ses grandes mains, ailes d'oiseau qui caressent l'air pour mieux expliquer les grandes idées de ce monde et les pensées profondes. Elle se replia dans sa coquille. Il monopolisait l'attention et fixait son interlocutrice, comme certains animaux qui hypnotisent leur proie... Trop séducteur, trop gentil. Méfiance. Elle lui parla comme à n'importe qui, cœur blindé, puis ils échangèrent leurs cartes de visite. Et elle rentra soulagée et ravie, un peu comme lorsqu'on vient de résister à l'envie de s'offrir une orgie de chocolat. Mais le désir restait présent, une empreinte, elle avait hâte de revoir celui qu'elle s'était amusée à surnommer *le charmeur*. Jusqu'ici, ses rapports avec les hommes étaient plutôt tendus, elle n'avait pas eu le temps de les désirer qu'ils la traitaient déjà comme leur propriété privée. Elle devait jouer les «féministes enragées» ou subir l'ennui de leur conversation jusqu'à ce qu'ils se décident à partir. Celui-là était différent. Elle était sûre qu'il la rappellerait. Ce fut elle qui téléphona... Trois mois plus tard, il eut l'air surpris, ils raccrochèrent sur une promesse de rencontre, puis, plus rien. Elle oublia.

Elle rentrait de voyage, en plein hiver, lorsqu'elle trouva sur son répondeur la voix de velours qui l'invitait. Ce fut une soirée animée. Puis comme les autres s'éternisaient, elle décida de partir la première. Ils se revirent ainsi plusieurs fois. Elle s'était surprise à aimer la voix, les yeux et les mains, et sa présence. Elle ne comprenait pas ses feintes, ses fuites et ses jalousies. Il était de plus en plus attentif au moindre détail la concernant, inquisiteur. Elle n'y comprenait rien. Ni amour ni amitié, simplement une sorte de stratégie géniale, de manipulation l'amenant à devenir dépendante de lui. Elle ne comprenait pas. Un an plus tard, rien de nouveau. Elle connaissait les affres de l'absence, la douleur des longs silences, elle ne pensait plus qu'à lui, elle l'aimait à en mourir, comme disent les chansons, mais elle ne vivait pas dans une chanson et la douleur de cet amour fantôme minait sa vie. Lui était égal à lui-même, avide des secrets des autres et hermétiquement fermé sur les siens. Elle le vit reprendre son numéro de séducteur pour d'autres, ses lèvres devenaient alors une paire de limaces desquelles coulait un discours sirupeux, toute sa personne transpirait la disponibilité, il se moulait dans son rôle.

Il n'avait rien promis, il n'avait fait que suggérer, il ne cherchait pas seulement à se faire aimer, il voulait une capitulation totale: la possession, la guerre, le pouvoir absolu, la soumission, comme celle de cette personne qui lui avait écrit une longue lettre calligraphiée qui donnait les détails compromettants de leur relation (la lettre était ouverte, sur sa table, elle avait eu le temps d'en saisir quelques mots). Une de ses amies lui avait parlé de cette catégorie d'hommes si attentifs, si merveilleusement prévenants qui adorent faire plaisir aux femmes, les traitent avec déférence et sensibilité... Sans jamais les aimer. «Les femmes se laissent prendre à ce jeu narcissique, dit-elle, jusqu'au jour où elles se rendent compte qu'elles ne sont pas aimées mais utilisées comme une raison sociale.» Emma Bovary, Anna Karénine, des raisons sociales?

Le charmeur parla d'un ami journaliste, qui justement lançait son dernier ouvrage sur «les migrations du bruant des neiges». Elle s'approcha dudit journaliste, monsieur Rutabaga pour les intimes et, souriante, lui dit: «Nous avons un ami commun!» Quand elle nomma le charmeur, l'autre rougit. Elle lui tendit le livre à dédicacer. Elle se dirigea vers le charmeur déjà en grande conversation avec un groupe de femmes. Elle avança, sur un ton badin:

— Que vous dit mon amoureux?

Il réagit en vierge offensée, feignant l'innocence; elle l'entraîna à part et le traita de Don Juan, invoquant pour preuve la lettre passionnée qu'elle avait vue sur son bureau, par hasard, l'accusant de manipuler les femmes.

— Mais non, répondit-il, ce n'est pas une lettre de femme, c'est la lettre de mon copain Rutabaga.

Silence. Il venait de se trahir. Elle n'était pas sûre de vouloir comprendre. Elle ouvrit le livre que Rutabaga lui avait dédicacé, c'était bien la même écriture... Ainsi, le bel homme tombeur de femmes... Des larmes froides glissaient de ses yeux, elle se dirigea tranquillement vers la sortie en pensant à la musique toxique et à la danse macabre de Narcisse réfugié derrière son masque, brouillant les cartes et manipulant les sentiments pour attirer dans son tourbillon mortel des victimes crédules ou inconsciemment perverses. Comme les insectes attirés par les odeurs et les couleurs des plantes carnivores, elle avait le sentiment qu'elle n'en finirait jamais de se débattre dans la prison gluante et étouffante de cette agression camouflée en désir. Le charmeur venait de lui planter un dard dans le cœur. Elle se sentait pareille au clown de l'*Ange bleu*. Elle eut envie de rire comme une folle, et d'en mourir.

Le voyage

J'ai passé un an à préparer ce voyage, car il me fallait une raison professionnelle: j'ai l'habitude de parcourir le monde pour négocier des contrats. Rien de spécialement excitant, parler avions, rayon d'action et technologie, c'est mon travail, je m'y donne corps et âme, mais rien n'indiquait Montréal sur ma route habituelle. J'ai dû déployer des trésors de ruses, de stratégies, de diplomatie pour obtenir de mon conseil d'administration ce voyage qui ne durerait que trois jours, pour deux réunions. Pourquoi Montréal? Peut-être à cause de ces poèmes venus du froid. J'évoluais dans l'univers aride de la technologie, et je m'étais arrêté à Nelligan à cause d'une certaine qualité de tristesse, une musique au-delà des mots. Dans l'avion, ma voisine était charmante. Dès la première seconde, je reçus un coup au cœur, elle avait un regard mordoré virant à l'ambre sous la lumière. Nous nous sommes parlé comme si nous nous connaissions depuis toujours. Deux ans plus tard, je lui ai écrit, je pensais qu'elle m'attendrait à l'aéroport, mais non, j'ai dû lui téléphoner. Nous avons soupé ensemble, elle m'a déçu, elle ne cessait de parler de la bataille de Poitiers, en 732, donc «mes ancêtres viennent de là, disait-elle, avant de s'établir au Québec au XVIIIe siècle, mes ancêtres ont vécu à Poitiers, voilà pourquoi je m'appelle Sarrasin».

Elle avait beau parler de son travail d'historienne, de ses voyages entre Paris et Montréal, j'étais suspendu à ses lèvres, je la désirais, elle me rappelait ces femmes d'Afrique du Nord que j'étais condamné à voir de loin, en ressentant plus qu'ailleurs mon statut d'étranger. Je ne voulais pas aller à mon hôtel, j'ai des ambitions politiques, je ne veux pas d'histoires... Nous avons fini la soirée chez elle. Je ne sais si c'est à cause de l'ambiance feutrée du salon ou de la traîtrise du vin californien, j'ai pu enfin tenir contre moi ce corps qui me fuyait, je l'ai prise, je me noyais en elle comme dans les vagues tièdes des mers du Sud. Je me suis imprégné de son regard mourant et de son parfum poivré. Enfin, je suis reparti vers mes responsabilités et ma famille. Que s'est-il passé depuis? Ce matin, une lettre m'annonce qu'elle s'est noyée dans le fjord du Saguenay. Je n'en suis pas responsable, nous avions passé une si belle soirée...

L'entrevue

Le vent s'engouffre dans les rues de Québec, froid, cruel; de la haute ville, le regard embrasse l'horizon par-dessus le fleuve charriant les glaces. Comme toujours, le printemps tarde à venir et le paysage s'embrase sous ce soleil rouge caractéristique des pays du Nord. Le hall du Salon du livre bourdonne... Toute une foule se presse là, apparemment désorientée par une telle quantité d'ouvrages. Des livres qui se vendent mal parce qu'ils ne répondent pas aux nécessités vitales d'une société plus motivée à subventionner des industries d'armement que cette espèce d'activité délirante qui consiste à s'entêter sur des mots, alors que le monde croule sous le poids des images caoutchouteuses de la vidéo, et que les musiques parasites coulent sur les cerveaux, mélasse gluante.

— Que pensez-vous des vidéoclips?

— Ce que je pense du gavage des oies...

Desforges rit, avec une sorte de colère dans le regard et le ton. Grand écrivain et cinéaste à ses heures, il poursuit:

— La majorité du volume d'argent qui circule dans le monde sert à la spéculation et non à la production. Même chose pour certaines activités culturelles: on spécule au lieu de produire, on retaille et on raccommode — ou bien nous ne sommes pas aussi riches que nous le pensons, ou bien nous sommes des avares qui bouffent du réchauffé.

Jasmine soupira. Elle s'appliquait à garder en tête un plan d'entrevue, tout en suivant attentivement les réponses de son interlocuteur, mais là, elle venait d'être confondue. Avec son intelligence et son intuition, Desforges perçut le malaise. Il continua:

— Ceci dit, on peut mieux décrire certaines réalités dans la fiction. C'est un paradoxe, mais c'est comme ça.

Elle n'avait pas envie de lui faire le coup de: «C'est autobiographique?» Cette stupide question qu'on ne pense pas à poser aux auteurs d'arlequinades.

— Vos récits ressemblent parfois à des descriptions réalistes... En désespoir de cause.

— Tout est imagination, répliqua-t-il fermement. Certains de mes amis ont cru se reconnaître dans mes textes. Or, je ne connaissais pas ces gens-là au moment où j'ai rédigé mes ouvrages. Tout est imagination, répéta-t-il.

Quelque chose chez l'écrivain troublait Jasmine. Elle savait qu'elle aurait à passer et à repasser le ruban, le cameraman avait fait des gros plans des mains, des yeux de Desforges, on reverrait cela au montage... Un travail de dentellière et la tension d'un joueur d'échecs. Il faisait beaucoup de gestes en parlant. Tout à coup, elle remarqua ses mains, il avait les deux pouces tournés vers l'extérieur et une première phalange nettement plus longue que la seconde. Signe de chance, disent les superstitieux. Elle avait déjà aimé un homme qui avait ce genre de mains. Elle continua:

— Votre voyage au Sahara...

— Je n'y suis jamais allé, je me suis simplement documenté pour écrire.

Plus que le reportage, ce qui intéressait maintenant la journaliste était de savoir comment Desforges avait eu accès à des informations qu'elle croyait connues d'elle seule.

— Quelqu'un m'a dit que j'y ai vécu peut-être, dans une autre existence. J'aurais été un chef, je me serais battu pour l'honneur et serais mort après que mon rival m'eut brisé les jambes à coups de sabre.

Il éclata d'un grand rire presque diabolique et poussa son fauteuil roulant vers la rumeur du grand hall du Salon du livre de Québec.

La lumière

Avoir vingt ans, juste vingt ans, comme les héroïnes imaginaires. Pourtant rester là, debout, les pieds dans la poussière. Le soleil embrasant les pores de la peau, le soleil dur et chaud, qui incite inlassablement la moindre petite ombre à céder la place afin qu'il puisse mordre la terre aux pieds même des arbres.

Avoir vingt ans sous la lumière, et toutes ces collines qui l'entourent, proéminentes et dodues, ventres en gestation, avec dans leurs flancs la vie et la mort. Elles protègent les hommes nerveux et passionnés qui, le soir venu, se réveilleront après la longue torpeur du jour, dans une pluie crépitante de détonations ponctuées par le grondement ample et sourd des bombes. Le drame flotte entre ciel et terre.

Un pays de vacances et d'hommes silencieux, de maisons fraîches et obscures, de femmes voilées de blanc... À l'heure de la sieste, la ville s'endort comme un gros animal repu, abruti de chaleur. Elle a enfermé dans ses fenêtres colorées les milliers d'éclairs flamboyants de la guerre. Les éclats de la colère. À l'heure de la sieste, un homme et une femme marchent côte à côte. La lumière qui lave leur visage fait cligner leurs yeux; elle écoute le ronronnement de cette voix d'homme paisible qui dit doucement la romance de l'amour proche d'éclore. Sa peau rougit et brûle, léchée par le vent du Sud, une peau d'enfant...

C'est un étranger. Venu chercher des images de guerre pour de lointains téléviseurs. Il a quitté son pays brumeux. Caméra sur l'épaule, il ressemble à un drôle d'animal. Elle se disait: «Nous ne sommes qu'un fétu de paille sur l'océan de nos passions. Quel vent l'a poussé jusqu'à nos rivages?...»

Il parle, elle écoute. Sa voix murmure comme le vent des forêts. Elle se dit encore: «Mon cœur de chair est gonflé de son souffle, et je me noie dans l'eau de son regard.» Il est là, à la chasse aux images, pour fixer la course des manifestants qui parfois chutent brusquement, fragiles silhouettes fauchées par un projectile invisible. Mais c'est l'heure de la sieste, pour l'instant, tout est calme. Elle aperçut sur sa gauche un néflier sauvage, les branches alourdies de fruits d'or, y alla tranquillement, tandis qu'il la filmait en reculant lentement...

Un geyser de feu et de lumière engloutit l'homme et sa caméra, elle entendit l'explosion, terrible, puis vit des choses noircies, éparpillées sur le sol. Elle regarda, hébétée, les fruits qui remplissaient ses mains, les laissa tomber puis retourna vers la ville, les mots de l'homme résonnaient encore à son oreille.

Azzedine

Il est né dans le pays où le soleil est roi, où le printemps s'attarde longuement, parmi les dunes qui se lovent autour des ombres; là où jaillit la source d'eau claire; où les saisons ne se ressemblent pas. On y habite des maisons de toile que l'on emporte avec soi, quand on voyage. Il est né dans ce pays et il s'appelle Azzedine.

Il a des cheveux drus et bouclés, des yeux comme des gouttes d'eau pâle verte, bleue et grise, une eau où jouent des faisceaux lumineux. «Il a des yeux de chat!» et les petites filles chahutent le garçon aux yeux de chat. C'est un Hāchémite, et tous les gens de sa tribu ont quelque chose qui rappelle les Romains dont ils sont, paraît-il, les descendants. Azzedine est malheureux, d'un malheur qui pourrait écraser un homme. Il n'est plus dans sa terre, il n'habite plus son paysage de collines aux flancs recouverts d'alfas qui se couchent doucement sous le vent et dont chaque touffe pourrait cacher un scorpion à la queue venimeuse. Mais Azzedine se tait, il a peur du lourd silence des grandes personnes.

Il a peur aussi le soir quand la nuit tombe. Il ne peut plus sortir comme avant... Une main pourrait prendre son cou... Un éclat de lumière... Un claquement sec et le fer et le feu qui donnent la mort et le sang. Il a eu peur d'Omar, celui qu'il a vu sous un drap blanc et qu'on a mis dans un brancard vert pour l'emmener au cimetière.

Il a peur des djinns, les esprits du samedi soir qui hantent les sources. Les djinns de l'eau, ceux de la plaine, les djinns... quand Hadda, la nourrice à la peau noire et au corps lourd, le regarde gravement. Hadda qu'il aime bien, parce qu'elle sort toujours de sa robe, près de ses seins, des noix, des sucreries, des friandises.

Alors, quand Hadda raconte des histoires de djinns, ses grands yeux noirs fixent au loin quelque vision mystérieuse. Ils jettent des lueurs, roulent dans leurs orbites. Il observe ses mains, ses mains larges et généreuses, faites pour l'offrande, le fruit, la gâterie qui apparaissent miraculeusement dans cette paume grise meurtrie par les travaux, ses mains qui dessinent avec grâce des arabesques dans l'air.

Elle parle des djinns que le Taleb, à force de prières et d'invocations, réussit à faire sortir de terre, pour prendre leurs trésors, souvenir des païens qui dorment sous terre depuis des siècles.

— Oui, des trésors, dans de grandes jarres avec de la monnaie d'or. Et le djinn chien gardien des enfers qui aboyait, aboyait! Mais le Taleb était plus fort et il prenait la jarre. S'il ne l'avait pas, il devenait chien à son tour ou bien rentrait loin, loin sous terre sous le pouvoir des anciens empires. Les djinns sont très puissants... Ce sont des esprits qui rôdent la nuit près des sources et des rivières.

— Mère Hadda, s'il te plaît, laisse-moi mettre ma tête là...

Sans interrompre son histoire, elle prend de sa large main la tête de l'enfant et la pose sur son genou plié. Il soupire d'aise en sentant la tiédeur de la jambe à travers la robe de coton blanc. Hadda est assise sur le tapis, par terre, elle caresse doucement la tête de l'enfant et fouille dans ses cheveux comme on le ferait pour un petit animal.

— Ma Hadda... Est-ce que les djinns peuvent faire mourir?

— Oh... Laisse-moi raconter, tu m'interromps tout le temps.

Et elle raconte... Les grands palais de marbre et d'eau. Les fontaines d'or et les palmiers chargés de fruits. Les jardins avec des fleurs et les belles princesses à la peau brune, princesse aux yeux de gazelle qui savaient dire des poèmes et lire leur chemin dans les astres de la nuit. Elles savaient aussi dompter les fauves et apprivoiser les oiseaux, prendre le cœur des hommes, monter à cheval et naviguer sur la mer...

— Azzedine, tu dors?

Mais la tête de l'enfant est déjà lourde de rêves. Alors, la vieille Hadda se lève en poussant un gros soupir et porte délicatement Azzedine jusqu'à son lit. Elle constate combien il est devenu lourd et comme il a grandi. Elle le borde, pour qu'il n'ait pas froid pendant la nuit; ranime le feu en remuant les braises qui sont dans le fourneau d'argile. Puis elle pose dessus un petit seau avec de l'eau pour ses ablutions, à l'aube...

Quand Azzedine se réveillait le matin, très tôt, il l'entendait marmonner ses prières. Il passait par le coin de la tente où dormaient ses grandes sœurs, leurs longs cheveux dépassant de la couverture de laine aux couleurs vives. Il allait rejoindre sa mère qui, assise près de son métier à tisser, faisait naître des formes étranges au bout des brins de laine qui volaient entre ses doigts comme des éclairs de couleur. Il y avait des bleus plus intenses que le ciel et des jaunes et des rouges si vifs qu'ils semblaient capter la lumière comme les arcs-en-ciel des pays du Nord. Là où le père, frileusement enveloppé dans son burnous de laine, était parti travailler. Le Nord... ça devait être loin, le Nord. Et maintenant, il fallait rester ici. Sans rien d'autre à faire que d'attendre les camions et les avions qui apportent la nourriture.

— Parce que la terre est devenue tellement sèche, disait Hadda.

Azzedine ne comprenait pas toujours pour quelle raison tout le monde autour de lui avait si peur. Un jour, il s'était approché de l'homme en habit vert. Il avait tendu la main vers l'objet que tenait l'homme; celui-ci recula comme si la main d'Azzedine était du feu.

— Va-t'en, sauve-toi, va-t'en!... La mère s'était précipitée sur Azzedine en criant, elle l'avait ramené sous la tente en grondant:

«Tu es fou, qu'est-ce qui t'a pris? Tu veux toucher au fusil du soldat? Et s'il t'avait tué comme ton père?»

Elle pleurait. Azzedine comprit que son père n'était pas allé travailler dans le Nord, mais qu'il était mort sur le champ de bataille et qu'on les avait déplacés dans ce camp en attendant que la guerre soit finie. Il pensait que les djinns, les mauvais esprits de Hadda, étaient des soldats armés. Mais on ne répondait jamais à ses questions: on lui demandait de se taire. S'il avait faim, on lui donnait un peu de pain avec de l'eau.

Puis un jour... Des grondements... Les adultes effrayés avaient réuni tous les enfants sous la tente.

— Qu'est-ce que c'est? dit Hadda.

— Peut-être la guerre qui avance, répondit très vite la mère, tout bas, pour ne pas effrayer les enfants.

Un an plus tard, un homme venu du Nord parla aux parents d'Azzedine, puis il se dirigea vers lui, lui mit un fusil entre les mains et lui dit:

— Azzedine, tu es un homme maintenant, suis-nous.

L'homme prit une poignée de terre et la mit dans la main d'Azzedine.

— La terre de nos ancêtres, jure que tu vas la défendre jusqu'à la mort!

— Jusqu'à la mort..., répéta Azzedine, en retenant ses larmes. Il comprit que c'était la fin de sa vie d'enfant. Il comprit que plus tard, s'il réussissait à survivre, ce serait dans la peau de quelqu'un d'autre, quelqu'un qui se souviendrait du petit garçon facétieux qu'il avait été... Son cœur se déchira quand il vit les beaux yeux sombres de Ma Hadda qui le regardaient comme un étranger. «Tu es un homme maintenant», dit-elle simplement, et elle se retourna. Il suivit longuement du regard la silhouette drapée de coton qui s'éloignait parmi les dunes jaunes et ocre du désert.

La Saharienne

C'était peu de temps après la guerre, celle que les vieux appelaient la deuxième.

La grande maison grise abritait la famille de Nahema. Au-dessus de la lourde porte de bois brun, une date: 1850; à l'intérieur, des étages avec des chambres pour les enfants. Le père de Nahema revint un jour avec une grosse voiture américaine: «La Matford, disait-il. C'est une V8, elle nous mènera en Tunisie.»

Les vacances scolaires approchaient et la Tunisie, à partir de l'Est algérien, c'était tout compte fait un petit voyage, moins compliqué que de traverser l'Algérie vers l'ouest pour revoir le grand-père qui habitait Mascara. Et puis, la Tunisie, c'était les caravaniers à l'accent chantant, les épiciers affables discourant et rimant dans un arabe émaillé d'expressions italiennes. Traverser un paysage de montagnes et de forêts... Puis des terres de plus en plus arides, frôler le désert où l'on pouvait croiser les chameliers et leurs femmes installées dans des palanquins, mystérieuses et silencieuses comme des princesses de jadis.

Nahema entendit son père dire qu'ils avaient combattu le roi de France. Même si le roi de France s'appelait Saint-Louis, Nahema, qui n'avait que six ans, en conçut une espèce de terreur respectueuse pour les bédouins, comme si la bataille venait d'avoir lieu et que les vainqueurs revenaient tranquilles vers leurs pâturages en tanguant sur le dos de leurs chameaux.

La mère de Nahema voulait approcher une bédouine pour lui demander des nouvelles de sa famille qui se trouvait à l'autre bout du Sahara, quelque part à l'est de la Mauritanie. Les bédouins avaient la réputation de tout savoir sur l'univers et même sur les mystérieux messages qui traversent les âges. Ils avaient une fabuleuse mémoire, disait-on, et leurs propos étaient toujours crédibles. Contrairement aux gens du Nord, ils n'éprouvaient pas le besoin d'enjoliver la vérité. Lorsqu'ils voulaient rêver, ils prenaient leurs tambourins et déclamaient des poèmes. Ainsi, on pouvait distinguer le vrai du faux.

«Quand un bédouin parle sans musique, disait le père, c'est qu'il dit la vérité. Quand il rêve, il fait chanter les mots.»

Nahema dut insister beaucoup pour assister à l'entretien qui devait avoir lieu entre sa mère et la bédouine qui émergerait majestueusement du palanquin, une fois que son chameau aurait mis les genoux à terre. Une image de rêve, comme on en voyait dans les livres de cette époque-là, avec un palanquin comme un œuf gigantesque, décoré de tentures et de pompons de laine aux couleurs chatoyantes. Le soleil dardait. La femme du palanquin avait des robes longues, des mains brunies au henné et des yeux clairs soulignés de khôl charbonneux. Les salutations entre les deux femmes durèrent longtemps. Nahema écoutait de toutes ses oreilles.

— Moi, je suis de l'oasis à trois jours de marche de Gabès.

— Et moi, à quatre jours de marche de Béchar...

Elles parlaient de jours de marche, se donnaient des nouvelles de leurs connaissances, comme si elles étaient voisines, pourtant, plus tard, bien plus tard, Nahema apprendra à l'école en regardant une carte de géographie que Gabès se trouvait à l'extrême est du Sahara, et Béchar à l'extrême ouest, les deux localités étant séparées par des milliers de kilomètres.

— Ça bouge en Tunisie, dit la femme. Bientôt la guerre.

— Alors, s'il y a la guerre chez vous, elle aura lieu chez nous, dit la mère.

— Non, dit Aïssa, un adolescent qui était arrivé furtivement et avait écouté la conversation sans que les deux femmes ne s'en aperçoivent.

— Pas la guerre, poursuivit Aïssa. Le soulèvement, un soulèvement de nos hommes à nous.

— Sauve-toi, dirent les deux femmes en chœur. Va-t'en! tu n'as pas honte d'écouter les conversations des femmes?

Les deux femmes s'échangèrent des anneaux d'argent pour se faire reconnaître des éventuels messagers, et se séparèrent avec encore beaucoup de salutations et de souhaits à leurs familles respectives. Nahema demanda à sa mère si elle connaissait la bédouine.

— C'est la fille de la Carthaginoise, dit-elle, celle qui sait déchiffrer les manuscrits et qui connaît l'histoire du roi français.

— On va la voir? demanda Nahema.

— Pas toi, répondit la mère. Seulement moi. Il faut que ton frère naisse des mains d'une femme qui connaît notre histoire, ainsi il n'oubliera jamais ses racines.

Nahema ne questionna pas davantage sa mère. Mais elle se mit à craindre la mystérieuse Carthaginoise qui savait tant de choses anciennes. Le petit frère naquit avec l'assistance de la Saharienne. Tout le monde avait prédit que ce serait un garçon, qu'il serait beau et fort, et que sa voix, son chant seraient aussi justes que ceux du muezzin.

Nahema se mit à protéger le petit frère parce que quelquefois, dans sa tête, lui arrivait l'idée qu'il pourrait mourir... Elle cessa de pleurer pour se faire gâter, et on devait lui répéter plusieurs fois la même chose pour qu'elle réagisse.

Un jour qu'elle avait grimpé sur un talus pour courir après les sauterelles, elle vit que l'oued était en crue; elle dévala la côte, perdit ses sandales, s'arrêta un instant devant les eaux en furie qui arrachaient tout sur leur passage, fixa le centre de la rivière, là où l'eau était la plus claire, là où le soleil semblait se noyer... Nahema s'avança tranquillement. Elle aurait voulu prendre dans ses mains des éclats de soleil pour les rapporter à sa mère. Elle se pencha un peu comme pour se coucher et s'abandonna au grondement de l'eau.

Le secret

« Je l'aime», dit Ania d'une voix grave.

— C'est un étranger? demanda Alma, les yeux brillants de curiosité.

— Il n'a ni nom ni nationalité ni couleur. C'est un homme, c'est l'amour. Entre lui et moi, quelque chose s'est passé, que je ne peux pas décrire. Maintenant il fait partie de ma vie.

— Dis-moi au moins comment il s'appelle, insista Alma.

Ania détourna son attention en se dirigeant vers des enfants qui guettaient une cage ouverte, suspendue à un arbrisseau.

— Qu'est-ce que tu fais là? questionna Ania.

L'enfant lui fit signe de se taire. Déjà un canari était entré dans la cage, absorbé à picorer vivement les graines attrayantes que les enfants avaient mises pour l'y attirer, il semblait indifférent aux manœuvres d'un autre adolescent qui, s'approchant à pas de loup, ferma d'un geste rapide la porte de la cage. Aussitôt des rires, des cris et des applaudissements fusèrent de toutes parts, les jeunes «chasseurs» cachés dans les hautes herbes fêtaient leur habileté.

— Libère-le! dit Ania.

Le garçon lui fit un geste obscène. Elle lui arracha la cage des mains et dut la secouer brutalement pour que l'oiseau affolé trouve enfin la sortie. Ania la rejeta aux pieds du garçon vert de rage qui, avec ses compagnons, l'abreuva d'insultes et de menaces. Alma finit par la rejoindre.

— Tu es folle? Ils vont t'en vouloir... Pour eux, c'est un jeu. Ils attrapent les canaris pour les vendre. De toute façon, c'est mieux que de les laisser manger par les chats.

Ania ne répondit pas; tout à coup, elle se sentit lasse. Elle se souvenait qu'à leur âge, elle-même n'était pas particulièrement tendre pour les animaux. Est-ce à cause de cela qu'elle avait rêvé la nuit dernière à d'innombrables alevins se débattant dans une mare d'eau claire? Elle ne se souvenait plus de la suite du rêve, elle se remémorait seulement une image de film où un vieux fou volait un camion de pompiers pour mettre de l'eau dans un oued menacé de sécheresse et empêcher les poissons de mourir. C'est à cause du film algérien vu au festival de Montréal qu'elle avait eu cette brusque envie de retourner au Sahara.

Alma et elle avaient prévu un voyage d'une semaine, et elle se réjouissait d'avance à l'idée d'aller là-bas, loin des bruits des villes, se réchauffer l'esprit et le cœur. Alma la regarda. Elle voulut de nouveau poser des questions puis se ravisa. Là-bas, pensa-t-elle, nous aurons tout le temps de parler. N'empêche, elle avait hâte d'entendre son amie raconter cet homme mystérieux qui semblait l'avoir changée à ce point. Elle ne l'enviait pas, elle était simplement curieuse. Il y avait longtemps qu'Alma avait renoncé à l'amour difficile des hommes pour se consacrer aux enfants, les siens, ceux des autres, à qui elle dispensait une tendresse un peu bougonne, mais qu'elle chérissait au point de comprendre même leurs mauvais coups.

— Va me chercher deux onces de thé chez l'épicier et garde la monnaie.

Le garçon interpellé s'avança vers Alma; elle lui posa la main sur la tête en se disant à elle-même: «C'est bon pour le voyage.»

— Ça évite le mal d'estomac, dit-elle en se tournant vers Ania.

Dans l'avion qui les menait vers l'oasis, des pèlerins revenant de La Mecque avaient gardé l'habit immaculé qui témoignait de leur statut de croyants. Une voiture qui roule à toute allure dans des nuages de poussière ocre, et enfin la maison près de l'oasis. Une maison blanche écrasée de soleil, avec une porte qui ouvre sur un havre de fraîcheur sombre.

Les deux femmes se précipitèrent vers le réfrigérateur pour se servir une limonade glacée préparée à leur intention par l'hôtesse, qui ne tarderait pas à rentrer de l'école où elle enseignait aux enfants de l'oasis.

Après s'être désaltéré, le chauffeur retourna à sa voiture; Alma mit un disque, comme si le silence soudain, après les vrombissements de l'avion et de la voiture, était devenu insupportable.

— Tu vas la voir, ta voyante, dit Alma, qui se souvenait des demandes insistantes de son amie avant le voyage. Il y en a une ici, tout ce qu'elle dit arrive... Tiens, on va l'envoyer chercher.

Elle se leva, la robe traditionnelle lui donnait une autre personnalité que ne le faisaient les jeans et les tailleurs qu'elle portait dans le Nord. Elle ouvrit la porte, appela un enfant et lui dit d'aller chercher la vieille de l'oasis, celle que l'on appelait *la métisse*, car elle était plus brune que les autres.

— Alors, tu ne me diras pas qui c'est?

— Non, répondit Ania, je veux bien dire que je suis amoureuse, mais je ne veux pas en parler, j'ai peur de briser la magie. Je ne veux pas que ça se sache. Lui-même, il ne le sait peut-être pas.

— Quoi? dit Alma en écarquillant les yeux. Puis elle éclata de rire. Tu es folle! conclut-elle.

— Bon, je vais faire du café, tu ouvriras la porte à la métisse.

Elle se dirigea vers la cuisine, pendant qu'Ania, épuisée par la vitalité de son amie, s'allongeait sur le sofa, les mains derrière la tête, appréciant le silence revenu à la fin du disque et la fraîcheur préservée par les persiennes qui laissaient à peine filtrer les rayons du soleil.

Quelques légers coups sur la porte la tirèrent de sa torpeur. La métisse entra, elle avait le visage ridé comme un tronc d'arbre ou une pierre sur lesquels le temps avait gravé les signes de son passage. Ses yeux noirs étaient incandescents. Elle regarda Ania comme si elle la reconnaissait. Elle s'installa avec souplesse, prit la main d'Ania qu'elle retourna, paume en l'air, sans cesser de la fixer dans les yeux.

— Viens t'asseoir près de moi, dit-elle, tu portes la marque du destin. Tu as un œil vert et un œil brun.

Elle baissa les yeux vers la main d'Ania, qu'elle scruta intensément comme si elle déchiffrait en elle une écriture invisible.

— Oui, c'est bien ça. C'est toi. C'est à toi que cela revient...

Elle fut interrompue par Alma qui apportait le café avec de petits biscuits au miel et aux amandes. Alma se pencha vers la vieille dame et lui baisa le front avec déférence. Ania s'aperçut qu'elle avait oublié de témoigner son respect à la visiteuse. Elle avait oublié les gestes et les paroles qui sont autant de signes de communication dans sa société d'origine. Les trois femmes s'assirent en tailleur autour du plateau de cuivre ciselé. «La connaissance n'est pas la sagesse et la sagesse n'est pas la connaissance», assura la vieille femme, comme si elle se parlait à elle-même.

— C'est une phrase de Lao Tseu, dit Ania en français à l'adresse d'Alma. La métisse, qui ne comprenait que l'arabe et le berbère, leva pourtant la tête, comme si elle avait entendu; elle répliqua:

— Nos ancêtres ont beaucoup voyagé... Nous venons de très loin; nous revenons toujours à nos oasis; nous venons des sables et du vent; nous venons de la parole qui traverse les siècles et les mers.

Elle se tut, aspira une gorgée de café noir brûlant qui parfumait son haleine.

— La distance qui sépare la parole du geste est la seule mesure visible, continua-t-elle.

— Encore Lao Tseu? questionna Alma.

— Je regrette de n'avoir pas eu le temps ou le courage d'explorer notre histoire, nos coutumes, nos origines, s'excusa Ania.

— Il n'est pas trop tard, dit Alma.

— C'est un travail de Titan, il faudrait parcourir le désert, ajouta Ania, collectionner les mots, les suivre à la trace à travers les siècles.

— Il n'est pas trop tard, répéta Alma.

Curieusement, la métisse semblait suivre la conversation, même si les deux amies échangeaient en français.

— Toi, dit-elle en désignant Ania, tu n'es pas étrangère. Ici, les tribus sont venues du Yémen, il y a plusieurs siècles. Elles se sont établies autour de l'oasis. Il y a eu beaucoup de batailles... Beaucoup de batailles... Pour l'eau, l'or ou les troupeaux. Pour une femme. Moi, mes ancêtres ont fui l'Andalousie pendant l'Inquisition. Ils étaient établis dans le royaume de l'ouest, à Mascara, et l'un d'eux a aimé une femme qui l'a rendu fou. Alors, il est venu mourir ici... La femme avait un œil noir et l'autre vert. Comme toi, et un triangle au creux de sa main. Comme toi.

Ania frissonna, elle commençait à avoir peur. La vieille ne la quittait pas des yeux.

— Ma mère venait du Tchad. C'est pour ça que je

suis noire. Toi, tu as rencontré un homme récemment, insista-t-elle à l'intention d'Ania, est-ce que tu l'aimes?

Ania, de plus en plus inquiète, se demandait comment faisait la vieille pour lire ainsi dans ses pensées et dans sa vie. Elle regarda Alma, désemparée.

— Tu crois que c'est un étranger, poursuivit la vieille, ce n'est pas vrai, c'est l'homme d'Andalousie, il t'a cherchée à travers la nuit et les siècles. Sa folie s'est atténuée avec le temps, n'aie pas peur, tiens, avec ça, il te reconnaîtra.

Elle tendit à Ania un lacet noir au centre duquel pendait un petit étui de cuir vieilli. À l'intérieur se trouvait un pendentif d'or pur dans lequel était sertie une de ces topazes lumineuses comme une goutte de soleil, une de ces pierres comme il n'y en a qu'à Madagascar.

Ania, impressionnée, prit le présent et l'attacha à son cou. La vieille s'entendit prononcer des paroles qui lui semblaient dictées.

— Maintenant, je peux partir. Je m'en vais vers le soleil qui étourdira ma tête et la chaleur qui asséchera ma chair et le désert qui blanchira mes os. Je vais retrouver mon lit de sable et le repos éternel.

— Et moi, je vais me consumer dans la folie de l'homme d'Andalousie...

— Quoi? dit Alma.

— Laisse, dit la vieille, ton amie est libérée maintenant. Le nœud dans lequel elle se trouvait s'est dénoué. Chaque plante retrouve ses racines et chaque rivière va à la mer. Les enfants du royaume perdu sauront se reconnaître.

Elle se leva, le visage serein, et sa silhouette voûtée se dirigea tranquillement vers la porte qui laissa entrer quelques petits nuages de sable et des flots de lumière.

— Le vent de sable se lève, dit Alma en se dépêchant de verrouiller les fenêtres.

Ania ne vit pas filer les quatre jours qui suivirent. Elle ne s'étonna même pas quand un enfant qui les voyait passer pour aller à l'aéroport, sur le chemin du retour, les interpella.

— Vous ne savez pas? La métisse est retournée dans le désert. Elle a dit qu'elle voulait retourner vers le palais de pierre où il y a des fleurs et des jets d'eau.

— Encore une histoire de la vieille, dit Alma en haussant les épaules.

Ania ne répondit pas. Elle se remémorait les paroles de la vieille. «La vérité: distance entre la parole et le geste.» Et elle pensa à l'homme qu'elle allait retrouver dans le Nord.

Il serait là, après des siècles d'errance, avec un curieux sourire.

La maison de Barberousse

Marouane balançait sa ligne en clignant des yeux. Le soleil faisait des flammes d'argent à la surface de l'eau.

Il avait déjà rempli son panier d'oursins et guettait du coin de l'œil une forme ronde que les soldats avaient dû oublier. D'ailleurs ceux-ci s'éloignaient en parlant fort et en riant. Aussitôt qu'ils disparurent derrière les rochers, Marouane fit un bond, ramassa lestement la grenade qu'il dissimula dans le panier, sous les oursins. Il abandonna sa ligne et se dirigea vers la maison de Barberousse où il savait que Jasmine l'attendait. La maison de Barberousse, c'était le surnom qu'ils avaient donné à une très belle villa ancienne qui tombait en ruine et qui blanchissait sous la poussière de la cimenterie voisine. Le jardin abandonné donnait un fabuleux spectacle de désordre naturel et de beauté: les herbes hautes étaient parsemées de petits bouquets de géraniums, d'œillets de poètes, de volubilis alanguis et de lavande odorante. Des fleurs qui avaient probablement survécu à leurs jardiniers. Mais ce qui fascinait Jasmine et Marouane, c'étaient les grenadiers qui se couvraient de fleurs plus belles et plus vives que celles des citronniers et des orangers; elles avaient des formes élégantes et compliquées, avec des nuances de rouge, rose et safran propres à enivrer l'œil le plus blasé — des langues de feu dans la verdure. Puis les fleurs devenaient pommes, jaunes, brunes à l'automne, les grenades mûres s'ouvraient, libérant des grains brillants, juteux, aux formes taillées comme des pierres précieuses. Les enfants y puisaient à pleines poignées, recrachant l'écorce amère des alvéoles, croquant les grains en forme de gouttes parfumées et sucrées. Marouane savait que Jasmine l'attendrait dans le «trou». Ils avaient ainsi surnommé l'entrée du tunnel qui reliait la maison des femmes, avec ses petites chambres pudiquement distribuées autour du patio à arcades, et la grotte, en haut de la falaise, d'où les marins de jadis surveillaient l'entrée des bateaux dans la baie.

Le passage s'était effondré et était encombré de pierres, de poussière et de planches pourries. Les vieux disaient qu'en creusant, on pouvait y découvrir les restes du trésor de Barberousse. Mais personne ne se donnait la peine d'aller réveiller des fantômes.

«Quand je serai grand...», pensait Marouane. Pour le moment, l'entrée du tunnel leur servait de refuge, à lui et à Jasmine, loin de la ville, des soldats et des barrages de police. Ils y passaient des heures à déguster le pain, le fromage et les chocolats volés au marché, de même que les oursins que Marouane cueillait à la fourche, sur le sable, par temps clair. Il rejetait à la mer les gros noirs et ne gardait que les bruns et les violets. Quand Jasmine lui avait demandé pourquoi, il avait répondu que c'était un péché de manger ça, sans plus d'explications.

Une fois, il était revenu du tunnel, les yeux pleins de larmes, essoufflé et blême. Il avait vu des gens par terre, d'autres debout, face au mur, les mains sur la tête, une ambulance qui criait et d'autres gens qui couraient dans tous les sens. Son cœur se débattait comme un moineau prisonnier. Il avait toujours cru que la guerre, c'était comme au cinéma. Mais son père était mort, et il n'allait plus à l'école. Sa mère avait insisté: «N'en parle à personne!» Il s'était décidé à rester là dans le tunnel avec Jasmine, pour toujours, puis il voulut lui montrer la grenade. Elle se pencha au-dessus de son épaule, il tira sur l'anneau.

«C'est la fin du monde», pensa Jasmine avant de mourir. C'est aussi ce que pensa Marouane en voyant la flamme sortir de ses mains. Au loin, on entendait encore la voix des soldats...

Le trésor andalou

C'était l'année du riz noir... Amti interrompit son récit et leva les yeux vers le ciel. Les nuages s'étiraient à l'horizon comme des poissons chinois aux ailes immenses, mauves, roses et dorées. Le vacarme des cigales devenait plus ample au crépuscule. C'était l'heure du thé vert avec des amandes et du beurre clarifié.

— Et alors, Amti...

L'année du riz noir... La vieille dame regarda l'enfant et, de sa longue main brune, attira sa tête sur son genou. Elle caressait les cheveux soyeux tout en poursuivant son récit. Elle disait comment toutes les guerres étaient noires: le riz noir, le sucre noir, les hommes qui se battent dans la nuit.

— Ton grand-père m'avait laissée seule dans une maison vide comme les yeux d'un aveugle. À la tombée du jour, j'entendais ricaner les hyènes.

L'enfant frissonna. Il avait toujours peur quand Amti racontait ses histoires, mais il attendait avec patience, pendant toute la journée, cet instant-là, quand Amti, avec des gestes précis, allumait le fourneau de terre cuite et soufflait sur les braises. Quand l'eau se mettait à chanter presque aussi fort que les cigales et les grillons et que le ciel se rapprochait en s'illuminant pour enfin s'éteindre autour d'une poignée d'étoiles.

Amti pulvérisait quelques clous de girofle dans le pilon

de fonte qui sonnait comme un tam-tam étouffé, elle mélangeait ensuite la poudre parfumée avec de l'eau de fleurs d'oranger, obtenant une pâte qu'elle s'appliquait sur le front et autour des yeux, ce qui la transformait en monstre au regard de jade. «Ça fait sortir le soleil de ma tête», disait-elle d'un ton assuré. Elle avait toujours la migraine quand elle souhaitait avoir la paix et éviter les questions. D'ailleurs on la respectait, on disait même qu'elle avait des pouvoirs surnaturels, et il n'était pas rare qu'on vienne la chercher d'un village lointain pour régler une dispute, raccommoder des époux ou soigner un bébé. Quand elle partait, elle donnait à Fethi la clé de son armoire en prenant des airs mystérieux. Fethi enfouissait la clé sous son matelas et se couchait toute la journée sans manger. Il attendait le retour d'Amti, et ni les cris ni les menaces ne le tiraient de sa torpeur. Même quand Amti revenait, il ne bougeait pas, mais son cœur se mettait à battre très fort, si fort qu'il le sentait jusqu'à l'intérieur de sa tête, de chaque côté de son front. Amti s'asseyait près de Fethi, passait la main dans ses cheveux, rajustait le beau foulard de soie mauve qu'elle portait en bandeau.

Ce jour-là, elle réclama sa clé, et en voyant une larme courir sur la joue de l'enfant, elle lui chuchota: «Un jour, quand tu seras grand, je te montrerai le trésor de mes ancêtres, les Andalous.» Fethi ne comprenait pas, il pleurait seulement de tristesse parce qu'Amti l'avait laissé toute la journée. Il pleurait de joie aussi, parce qu'il pouvait enfin blottir sa tête entre l'épaule et le menton de la vieille dame et sentir son parfum de linge propre, de girofle et de citronnelle. Il pouvait même poser ses lèvres sur la fossette qu'elle avait au milieu du cou et qui lui servait à «cacher du musc», disait-elle. Parfois, il passait sa main dans la fente du corsage de la vieille dame, à travers le tintement métallique des bijoux, pour en sortir un sein mou, au mamelon noir comme les fruits du mûrier. Il portait alors le mamelon à sa bouche, et même s'il était trop grand pour cela, même s'il n'y avait plus de lait, il feignait de s'endormir dans la tiédeur des bras maigres d'Amti.

Il arrivait que Fethi fasse la même chose avec une autre de ses tantes, la Tchadienne, celle qui disait que les fruits de son pays étaient plus gros et plus beaux que tous ceux que pouvait produire l'Afrique du Nord, celle aussi qui savait d'un seul geste envoyer sa quenouille au loin et la faire tourbillonner, avec au bout son brin de laine comme une toupie magique. Amti était jalouse, elle devenait brusque et renvoyait Fethi: «Allez, va jouer dehors, tu es grand maintenant», mais aussitôt qu'elle, Amti, en avait l'occasion, elle lui donnait en secret des petites boulettes de pâte d'amandes et de pistaches roulées dans du miel, ou bien des dattes qu'elle fendait soigneusement, d'un seul côté, pour y glisser un cerneau à la place du noyau. Cependant, jamais Amti n'avait ouvert son armoire devant Fethi, cette armoire à miroirs avec des flancs incrustés de nacre et qui contenait le «trésor des Andalous».

— C'était l'année du riz noir... Les hommes se battaient, j'étais seule dans la maison. J'ai entendu un grand bruit, quelque chose s'est abattu près de moi. Je l'ai vu... Un homme surnaturel, c'était un des césars romains, de ceux qui enterraient des jarres de trésor sous le sable. Je le sais, car si j'avais seulement dit un mot, il se serait réveillé, je serais riche maintenant. Les Romains ont laissé des trésors dans notre pays et nous, on marche dessus. Mais le trésor des Andalous, c'est moi qui le garde et personne ne le sait. Et le Romain qui est revenu de sa tombe... Et moi qui avais tellement peur que je n'ai rien dit, rien fait. Quand je pense à tout cet or sacré, celui qui ne quitte jamais les mains qui le possèdent, celui qui ne vient qu'aux braves et aux justes... Depuis cette nuit-là, j'ai des dons pour guérir. Quand la lune est pleine et que le vent du sud a soufflé pendant trois jours, les morts reviennent pour donner des secrets aux vivants...

Fethi frissonnait, il imaginait, il s'imaginait le trésor andalou sous la forme d'un général romain armé et casqué, rutilant comme un soleil, et il avait si peur qu'il ne pensait jamais à ouvrir l'armoire d'Amti ni à regarder ce qu'elle contenait.

Longtemps après, lorsqu'il visita les ruines romaines de Timgad et celles de Tipaza que la mer envahit de ses vagues bleues, Fethi songeait au Romain d'Amti, et lorsqu'il vit Grenade et Cordoue, il comprit qu'Amti confondait les époques, résumait l'histoire pour lui, pour aiguiser sa curiosité. Il lui semblait entendre encore la voix rauque et les chuchotements de la vieille dame, quand les danseurs gitans martelaient la poussière de leurs talons vigoureux et qu'ils élevaient vers la nuit leurs chants modulés comme des appels surgis des entrailles de la terre.

Plus tard encore, lorsque Fethi, étudiant à l'université de Californie, avait entrepris une excursion dans le Nevada, il pensait à Amti en voyant les Ghost Towns et les mines d'or et d'argent désaffectées. Il savait très bien que plus que l'appât du gain, c'était le goût de l'éternité qui avait amené des hommes dans ce paysage lunaire où ils avaient souffert et étaient morts pour posséder enfin ce qui survivrait aux empires des pharaons ou des Romains, des Arabes ou des Ottomans: cet or qui traversait les histoires d'Amti comme autant de veines lumineuses qui parcourent les surfaces rugueuses du minerai.

Juste avant son départ, Amti lui remit la précieuse petite clé. «Le trésor des Andalous», dit-elle, avec un regard malicieux, et Fethi avait porté sa tante dans ses bras jusqu'à la voiture, parce qu'elle avait tenu à l'accompagner jusqu'à l'aéroport et qu'il n'avait pas osé lui refuser cette petite faveur, même s'il savait d'avance que ce serait cette petite silhouette voûtée par l'âge qui allait lui oppresser la poitrine quand l'avion s'arracherait à la terre. Il savait aussi que cette silhouette, ce visage buriné par l'âge et les vents du désert, ces yeux d'oiseau aux pupilles cerclées d'ambre vert hanteraient sa mémoire. Pour longtemps.

Amti devenait croyante en vieillissant, elle avait mis de côté sa tabatière d'argent, celle dans laquelle elle tassait un tabac noir parfumé aux cendres de bois, qu'elle faisait brûler dans le crépitement lumineux des aiguilles de pin, elle chiquait. C'était un de ses nombreux secrets... Où avait-elle appris à fendre d'un coup sec les raquettes de figuier de barbarie pour en faire des cataplasmes pour les plaies et les brûlures? Et cette façon qu'elle avait de diluer l'argile en une crème épaisse afin de réparer la patte ou l'aile d'un oiseau blessé? Et quel langage parlait-elle aux ibis bleus pour qu'ils reviennent vers elle après leur longue migration, et comment trouvait-elle les truffes blanches que renferme la terre du Nord et qu'elle faisait simplement bouillir, les arrosant de beurre frais pour en dégager tout l'arôme? Et qui lui avait gravé en mémoire ces mots d'une chanson qui parle des orangers d'Andalousie et de la bibliothèque de Cordoue, incendiée au milieu des grenadiers en fleur? Il semblait que tout son monde tournait autour de la nostalgie de ce paradis perdu. De quelles inquisitions Amti voulait-elle préserver ses secrets?

Quand Fethi revint au village, il ne trouva que Zina, la Tchadienne, celle que l'on avait surnommée Jolie à cause des reflets bleus sur sa peau noire, de la finesse de ses traits et de l'éclat de ses dents.

— Elle m'a fait croire qu'elle allait visiter sa famille dans le Nord, dit Zina, mais je l'ai guettée, elle a attendu la tempête de sable et s'est dirigée droit vers le désert. Le sable ennuageait tout. Mais je la connais, elle aura attendu le passage des caravanes pour qu'elles l'emmènent à La Mecque. Tout cela, parce qu'elle voulait te cacher sa mort.

Elle s'est toujours occupée de tout ici, continua Zina en étouffant un sanglot.

Alors Fethi prit la clé dans sa poche et ouvrit l'armoire d'Amti. Elle était vide. Dans un coin, une petite boîte de velours rouge ornée d'arabesques d'or contenait un livre pas plus grand que la paume de la main. C'était le trésor des Andalous. Ce qui avait dû échapper au grand incendie de la bibliothèque de Cordoue et à l'exode. Fethi sentit son cœur battre comme lorsqu'il retrouvait Amti après une longue absence.

Il se dit que le jour où il ouvrirait le livre pour en déchiffrer la calligraphie arabe, sa vie changerait. Pour le moment, il n'osait pas. Il pensait à Amti dans le vent du désert avec son voile blanc ramené sur la tête et le visage, Amti luttant contre les nuages de sable pour retrouver les caravaniers qui la mèneraient vers l'Orient, loin de son Andalousie perdue, en lui laissant à lui, le chagrin de son absence. Pour toujours.

Libellule

Il y a quelques jours à peine, ils avaient ri de leurs prénoms respectifs; Dollar et Yen... Puis ils s'étaient donné rendez-vous à Abidjan, en Côte-d'Ivoire. Auparavant, elle avait vu le soleil se noyer dans les vagues de la mer Égée, s'était promenée dans le vieil Izmir établi au fond du golfe depuis trois mille ans. Mais où commence et où finit la ville, dans le temps et dans l'espace?

Yen s'enivrait de la vision aride des marais salants et des noms de Troie, Éphèse, Halicarnasse, où elle avait rencontré Dollar, un officier de la marine nationale. Ils s'étaient promenés dans le petit port de pêche, puis à Priène dans les rues en damier d'Hippodamos, le premier des urbanistes. Ils avaient évité les questions d'identité, car il n'était pas turc. Il avait simplement dit: «Je viens du cœur de la tragédie.»

— Moi, répliqua-t-elle, de chez les cavaliers dans le brasier.

— Du plomb? interrogea-t-il.

Elle répliqua: *plomb*, comme un écho.

D'Abidjan, ils prirent la route pour Niamey, ils quittaient la verdure pour la terre rouge et le sable qui poudrait leurs cheveux. Les lèvres desséchées, ils arrivèrent à la rive du fleuve, au cœur de la ville, juste à temps pour voir les pêcheurs dessiner des silhouettes troublantes liées à la surface de l'eau par les formes élégantes et fragiles de leurs filets. Des pirogues revenaient vers le rivage et les voix des hommes résonnaient dans l'air dense, le crépuscule métamorphosant le paysage en merveille de rythmes et de sons sous les dernières lueurs du jour tropical.

Dans l'un des filets, les poissons continuaient à s'agiter comme s'ils refusaient de mourir. «Des poissons électriques», dit un homme avec un fort accent anglais, lunettes noires et chemise à palmiers.

— Ils dégagent du six volts, poursuivit l'homme, celui-là par exemple. Et il désigna un poisson blanc à taches noires, le plus agité. Les pêcheurs restaient prudemment à l'écart.

— Frank, dit l'homme aux lunettes, en tendant la main, avec un sourire engageant.

— Marine nationale de Finlande, répondit Dollar. Il mentait, son père était syrien et sa mère bostonienne.

— Madame, salua Frank, tenant pour acquis qu'elle était l'épouse, vous êtes chinoise?

— Non, répondit-elle, vietnamienne. Il y eut un lourd silence. Elle était «typiquement asiatique». Mais elle mentait aussi. Son père était du Caucase, sa mère Indonésienne.

Frank les invita gentiment à passer chez lui, le lendemain.

— Allons voir Mektoub, dit Dollar.

Mektoub, la silhouette nonchalante et le nez fin des Peuls Bororo, avait installé tout un équipement radio dans son appartement, à seulement quelques mètres du musée de Niamey... Il ne posa pas de questions, tendit des moustiquaires à leur intention et leur offrit de «l'atiaqué», du manioc broyé, enveloppé d'une feuille de palme, et dans une autre, du poisson séché avec de la sauce pilipili; il avait une façon savoureuse de nommer cette sauce de petits piments rouges qui flambe sur la langue et le palais jusqu'au creux des oreilles.

— Demain, dit Mektoub, la pirogue et le Niger.

L'aurore, le chant des oiseaux, ces envolées éblouissantes de perruches ou de flamants roses, puis un hélicoptère qui embrume le ciel avec de copieux nuages de D.D.T. Finalement la majesté du fleuve au milieu des rizières. Mektoub traîna la pirogue sur le sable.

— Les crocodiles? demanda Yen.

— Pas de problème, répondit Mektoub, comme les médias vendus, le sang les attire.

— Là-bas, à Haïti? questionna Mektoub. Il cherchait toujours à vérifier les nouvelles de la radio.

— Une infinie souffrance... dit Yen.

Une ombre passa sur le visage de Mektoub, il entonna une sorte de ha han comme un chant grave en s'accompagnant du claquement de sa pagaie sur l'eau. Dollar essaya de l'accompagner: «In that money was my body»... Ils chantaient maintenant tous les trois et Mektoub jazzait «Body... Bad hey... Bad hey.» Ils cessèrent pour plonger dans l'eau. Ils avaient tous moins de trente ans; à eux trois, avec Frank, ils totalisaient les différentes religions de leurs parents et cinq ou six origines ethniques. Mektoub était une sorte de génie, il avait fait le tour du monde et des universités, travaillant ou étudiant, dévoré par la passion des machines depuis l'électronique jusqu'à la mécanique, un véritable touche-à-tout. Dollar fit un saut. Il venait de frôler un poisson électrique, et vite, Mektoub lui tendit la main. Deuxième saut. Ils remontèrent dans la pirogue. Mektoub riait: «Les poissons électriques, c'est comme les humains, dit Mektoub, jamais libres, si l'un d'eux, dit "en avant", tout le monde suit.» Il riait de si bon cœur que les autres en firent autant. Puis le regard de Dollar devint grave, il posa tendrement sa main sur celle de Yen:

— Demain?

— Demain, répliqua-t-elle.

Le lendemain, de l'avion au bateau, à l'autobus, elle oublia combien de temps il lui avait fallu après un étourdissant manège d'images et de paysages pour se retrouver ici, costumée, altière, pénétrant dans une salle bondée d'officiers où se trouvait précisément le chauve qu'elle avait recherché et guetté pendant des heures... Elle se mit à danser en chantant, comme dans la pirogue de Mektoub.

— Elle est saoule, dit un officier.

— C'est une folle, dit un autre, mais il avala la fin du mot en écarquillant les yeux...

La large manche de sa robe diaphane frôla la flamme d'une chandelle; elle s'habilla de lumière, pendant que le feu lui dévorait le corps, elle songea au pacte qui la liait à Dollar et à la passion qui avait incendié leurs cœurs et leurs mots pendant ces derniers mois. Puis elle se demanda si les mèches étaient bien placées et si elles atteindraient les grenades incendiaires miniaturisées par Mektoub. L'explosion secoua la ville dans la nuit et le feu se communiqua aux bâtiments périphériques. À l'autre bout du monde, Mektoub entendit les nouvelles. Puis, même genre d'explosion dans un autre pays. «À la même seconde», pensa-t-il. Ils ont flambé en même temps. Frank arrivait quand la radio annonça qu'il s'agissait du groupe Libellule.

— Oh boy! dit Frank, c'est le code... Ils s'empressèrent tous deux de détacher les petites libellules d'argent qui pendaient au lobe de leur oreille gauche.

— On change, dit Mektoub, toi la centrale nucléaire, moi la navette spatiale.

— Eux, ils s'aimaient, les autres, c'est pour la dignité. Nous, pourquoi? demanda Frank.

— Le ciel, la terre, l'eau, les larmes des femmes, les cervelles ratatinées par toutes les drogues dures et douces, plus les médias comme les crocodiles, avec du sang à la une. Compris? Les milliards de gens qui crachent leurs poumons dans les rues du Nord, et ceux du Sud qui se retrouvent comme des tas de chiffons ensanglantés dans les écrans de télévision.

Ils entreprirent de trier les billets de monnaies différentes et les passeports, en fredonnant: «In that money... Ils ont fait pleurer nos mères...»

Or et jade

Une terrible héroïne de la tragédie grecque habitait Jelica. Elle en arrivait à se demander si ce rôle lui convenait. Elle habitait le premier étage de la maison de sa grand-mère Mélanie, à Westmount, mais elle devait chaque jour se lever à sept heures pour marcher jusqu'au quartier chinois où elle retrouvait Chang. Jelica avait été séduite par cet artiste qui lui avait appris comment les peintres chinois projettent leur nature profonde et leur vision intérieure dans les paysages qu'ils dessinent au pinceau et à l'encre, conformément au principe taoïste. L'être humain relié aux mouvements fondamentaux de l'univers...

Aujourd'hui, elle parlerait à Chang de ce qu'elle n'avait osé confier à personne. Elle avait volontairement participé à l'une de ces expériences pour lesquelles on sollicite régulièrement les femmes. Mais en apparence, sa vie actuelle tournait autour de Médée, le mythe et la tragédie confondus l'avaient troublée... Dans sa vie, tout était planifié, organisé. Pas de compagnon, pas de trahison, pas de mythe de Médée qui détruit la descendance de l'homme qui l'a trompée. Le hasard avait mis sur sa route Chang et son air tranquille, quand il parlait de la peinture de montagne et d'eau. Elle parlait du siècle qui a vaincu paysans et artisans. La *Nasse* contre les créateurs. Elle appelait *Nasse* le numéro d'assurance sociale (N.A.S.), comme disent les fonctionnaires du gouvernement, et qui lui semblait symbolique de toutes les marques imposées aux humains pour leur bien-être, tous ces formulaires à petites cases où il fallait résumer sa vie en débitant les lettres et les chiffres à l'unité, chacun dans sa case. Sans erreur ni fantaisie.

Chang parlait du sujet qui se projette en dehors, le dehors devenant le paysage intérieur du sujet.

— On se projette dans des grilles, dit-elle, des lignes, des points, de la télévision à la publicité où l'image humaine se détaille en morceaux. Elle regarda Chang avec désarroi, elle savait d'avance qu'il répondrait par une citation, ce qu'il fit en se référant à Lao Tseu:

— La voie est grande, elle s'écoule, va plus loin, et de loin s'effectue le retour...

— Ici, dit-elle, qu'est-ce que c'est?

Elle désignait du doigt des idéogrammes qui descendaient le long de l'espace vide du tableau.

— La contraction espace-temps, répondit-il... Il observa un silence et énuméra: Pékin, Oran, Naplouse... Ici, le volcan, là les fleurs de cerisiers. C'est la jeunesse, avec les couleurs minérales, ça s'appelle or et jade.

Suivit un long silence. Il se pencha vers une petite boîte de bois noir et la lui tendit... À l'intérieur, elle découvrit une perle rose, irisée, comme si toute la lumière du jour se concentrait sur la nacre.

— Elle a un bel Orient, dit-elle, l'éclat des perles, c'est leur Orient.

Elle rit. C'est la première fois depuis son arrivée qu'elle quitte son air grave. Il songea un instant au pêcheur d'Abou Dhabi qui la lui avait donnée, c'était au bout de cette dernière plongée, quand l'homme était revenu à la surface de la mer Rouge, le visage congestionné et le bras gauche paralysé. Le pêcheur, très digne, refusa l'argent pour la perle. Chang comprit qu'elle n'avait qu'un seul prix: le souffle de l'homme. Il restait en contact avec lui par l'intermédiaire de ses amis journalistes ou voyageurs.

Jelica lui tendit la boîte. D'un geste, il lui fit savoir qu'elle pouvait la garder.

— Je participe à l'expérience des N.T.R., dit-elle très vite. Il la regarda, incrédule.

— Les nouvelles technologies de reproduction. Je suis enceinte.

Lentement, il se retourna vers ses tableaux et continua ses explications:

— Ici, dit-il, les rochers de la tourmente. Puis, d'une voix plus feutrée: la vallée, mystère du corps de la femme.

Que s'est-il passé depuis? Grand-mère Mélanie était morte au printemps et Jelica ne s'était pourtant jamais sentie aussi sereine, les événements de la vie la frôlaient plus qu'ils ne la touchaient vraiment. Elle se sentait comme les tableaux de Chang, pleine de toutes les joies et les peines du monde, mais tranquille comme un paysage, ronde comme la terre. Un peu de fatigue vers la fin et la clinique.

Ils s'affairent autour d'elle, Chang est là, regard concentré entre les paupières bridées.

— À l'échographie, ils en ont vu deux, dit-elle, avant d'être terrassée par une contraction plus forte. Elle pensa avec colère qu'on n'avait toujours pas trouvé le moyen d'éviter la souffrance aux humains.

Reprenant son souffle, elle chuchota à Chang: «Dans certaines tribus africaines, le père, c'est celui que la mère désigne à ses enfants.» Elle ménageait sa respiration comme le pêcheur de perles au fond de l'eau et s'accrochait au regard de Chang, à son calme. Lui pensait à ses enfants morts avec leur mère dans un accident d'avion. Il lui semblait qu'il avait passé des siècles à les faire revivre sur la toile avec ce sang d'encre noire et ces couleurs minérales or et jade, «les veines du dragon» parcourant le paysage, énergie et lumière sur «le vide du papier de riz».

— Voilà le premier, cria le docteur, puis très vite, elle ajouta: c'est une fille!

Jelica ne cherchait même plus à étouffer ses cris, elle était enivrée sous le masque à oxygène. La lumière verte au-dessus de sa tête lui donnait un sentiment d'irréalité, elle s'efforçait d'accueillir la douleur, de s'y abandonner pour qu'elle passe très vite comme le vent qui contourne les montagnes et la vague qui enveloppe le rocher. Chang disait toujours: «Ne pas agir, c'est agir.»

— Le premier bébé de l'année, dit une infirmière.

Les premiers. À une ou deux minutes d'intervalle venaient de naître deux garçons et deux filles. Le 31 décembre. Chang pensa avec bonheur: «La voie s'écoule au loin, et de loin s'effectue le retour.» Il avait l'impression que ses deux garçons et filles venaient de naître pendant les premières minutes du troisième millénaire.

Table